L'ÉGYPTE ET LA BIBLE

CAHIERS D'ARCHÉOLOGIE BIBLIQUE

sous la direction d'ANDRÉ PARROT

Découverte des mondes ensevelis. Volume introductif à la collection.
Déluge et Arche de Noé.
La Tour de Babel.
Ninive et l'Ancien Testament.
Les routes de Saint-Paul dans l'Orient grec (H. METZGER).
Le Temple de Jérusalem.
Golgotha et Saint-Sépulcre.
Samarie, capitale du Royaume d'Israël.
Babylone et l'Ancien Testament.
Le Musée du Louvre et la Bible.
Sur la pierre et l'argile. Inscriptions hébraïques et Ancien Testament. (H. MICHAUD)

CAHIERS D'ARCHÉOLOGIE BIBLIQUE **N° 11**

PIERRE MONTET
Membre de l'Institut

L'ÉGYPTE ET LA BIBLE

ÉDITIONS DELACHAUX & NIESTLÉ
4 rue de l'Hôpital, NEUCHATEL (Suisse)
Diffusion en France :
DELACHAUX & NIESTLÉ, 32 rue de Grenelle, PARIS VIIe
Edité en Suisse

INTRODUCTION

Les Hébreux sont demeurés en Egypte pendant quatre siècles selon *Gen.*, XV, 13 et même un peu plus, quatre cent trente ans, d'après *Ex.*, XII, 40. Avant que Joseph installât ses frères dans la terre de Gessen, Abraham était déjà entré en contact avec Pharaon. Plus tard lorsque les fils d'Israël eurent constitué un royaume, ils eurent des rapports tantôt amicaux et tantôt hostiles avec les Egyptiens. Salomon épousait une fille de Pharaon, alors que les ennemis de David et de lui-même étaient favorablement accueillis à la cour d'Egypte. Puis Chechanq Ier s'empara de Jérusalem et enfin Taharqa, Nechao, Apriès intervinrent dans les affaires des rois de Juda.

Depuis qu'on lit les textes égyptiens sur pierre et sur papyrus, les commentateurs de la Bible se tournent du côté de l'Egypte, espérant y recueillir des informations qui complètent, infirment ou confirment les récits bibliques. De leur côté les égyptologues désiraient leur apporter des éclaircissements. Plusieurs d'entre eux s'y sont efforcés, Brugsch, Ed. Naville, Spiegelberg, le P. Alexis Mallon, Sir Alan H. Gardiner, Van de Walle, et d'autres encore. Ce n'est pas leur faute si les résultats n'ont pas l'ampleur que l'on avait espérée. Quand les Egyptiens se rendaient par terre ou par mer en Palestine et en Syrie, ils se heurtaient à des gens qu'ils appelaient indifféremment Aamou, peut-être les Arabes, ou Setiou,

Asiatiques. Ils les redoutaient, car ces Aamou, franchissant les frontières à l'improviste, pillaient les fermes isolées et plus d'une fois dans leur pays ont surpris et massacré des voyageurs égyptiens [1]. Ils les méprisaient aussi car les Aamou n'annonçaient pas le jour du combat, comme l'honneur l'exigeait [2]. A partir de la XVIIIe dynastie interviennent les Chasou qui habitaient le pays d'Edom et la montagne de Seïr [3]. Ils furent plusieurs fois vaincus, en particulier par Ramsès II [4]. Depuis le règne de Thoutmose III jusqu'à celui de Ramsès IV, il est plusieurs fois question de gens que l'on appelle Aperou dont le nom a été rapproché à la fois des Hébreux et des Habiru [5]. Ils fomentent des troubles en Palestine, ce qui amena une intervention de Séti Ier. Trois mille six cents d'entre eux ont été ramenés avec d'autres captifs en Egypte où l'on peut les trouver occupés soit à des travaux agricoles, soit à des travaux beaucoup plus durs. Sous Ramsès II ils participent avec des hommes de troupe à des transports de pierre pour le pylône de Memphis. Ramsès IV envoie huit cents Aperou dans la Vallée de Rohanou pour tirer des blocs jusqu'à Coptos. Ni les travaux, ni les circonstances ne correspondent exactement à ce qui fut exigé des fils d'Israël par le « Pharaon qui ne connaissait pas Joseph ».

Quant au nom d'Israël il se rencontre une seule fois et dans un seul texte, une stèle triomphale de Merenptah, dans un passage qui est loin d'être clair [6].

La Bible de son côté ne facilite pas la tâche de l'historien. Ni le roi qui reçut la visite d'Abraham, ni celui qui installa les frères de Joseph dans la terre de Gessen, ni celui qui ne parvint

[1] P. M., *Drame d'Avaris*, 15-19.
[2] P. M., *Vie quotidienne*, 231-233.
[3] *Urk.*, IV, 36; GAUTHIER, *D. G.*, V, 106.
[4] JOS. JANSSEN, dans *Biblica*, XV, 537; KUENTZ, *Kadech*, I, 138.
[5] POSENER, *Textes égyptiens*, dans BOTTÉRO, *Le problème des Habiru*, *Cahiers de la Société asiatique*, 12.
[6] Voir ci-dessous, p. 30.

pas à empêcher l'Exode, ni, enfin, le beau-père de Salomon ne sont désignés par leur nom. La Bible ne les connaît que sous le nom de Pharaon transcrit correctement d'une expression égyptienne *Per-âa*, la grande maison, qui s'employait dès l'Ancien Empire pour désigner le palais royal et s'appliqua à partir de la XVIIIe dynastie au roi lui-même. L'égyptologie devrait être en mesure de choisir dans la longue liste des rois d'Egypte ceux qui correspondent le mieux aux données bibliques. Pour les événements postérieurs à Salomon, ces données devront être confrontées avec les textes assyriens, grecs et naturellement égyptiens. Une étude inséparable de celle que nous venons d'indiquer est celle des lieux où les Hébreux ont été en contact avec les Egyptiens. La Bible contient un assez grand nombre de noms géographiques que l'on doit identifier avec les noms égyptiens et placer sur la carte. La première partie de notre ouvrage sera donc consacrée aux faits historiques et au cadre géographique.

Nous rassemblerons dans une seconde partie tout ce que la Bible dit ou laisse entrevoir des usages des Anciens Egyptiens, de leur religion et de leur morale. L'histoire de Joseph et celle de Moïse ne constituent pas un traité comparable au IIe livre d'Hérodote, mais comme elles mettent en scène des Pharaons et des personnes de leur entourage ainsi que des gens du menu peuple, il importe au plus haut point de voir s'ils parlent et agissent comme de véritables Egyptiens et s'ils n'apportent pas quelque information utile sur l'Egypte de leur temps.

Lorsque les fils d'Israël furent sur le point de quitter l'Egypte, leurs chefs les avertirent qu'ils ne devaient ressembler ni aux Egyptiens parmi lesquels ils avaient vécu, ni aux Cananéens avec lesquels ils devaient vivre désormais. Cependant la Bible, quand elle reconnaît que Moïse possédait toute la sagesse des Egyptiens et prétend que cette sagesse était surpassée par celle de Salomon, nous invite à rechercher si la piété et la morale des Hébreux n'ont pas été influencées par la piété et la morale égyptiennes. Il serait invraisemblable que des contacts prolongés et répétés soient restés sans influence. Depuis 1923, nous disposons d'un excellent moyen de comparaison. C'est la Sagesse d'Amonemope. Cet ouvrage présente sur la relation entre Dieu et les hommes et sur les devoirs de l'homme, des idées singulièrement voisines de celles qui sont exprimées dans le Livre des Proverbes. Vérifier ces ressemblances sera le moyen de mesurer ce que le peuple d'Israël doit à ses anciens oppresseurs et ce que peut-être il leur a enseigné.

PREMIÈRE PARTIE

Rois et lieux

Chapitre premier

PREMIERS CONTACTS ENTRE ISRAËL ET L'ÉGYPTE

Abraham en Egypte

La première rencontre des Hébreux avec les Egyptiens eut lieu à une époque très ancienne. La famine était grave dans le pays de Canaan et Abraham descendit en Egypte pour y séjourner (*Gen.*, XII, 10).

Les Egyptiens étaient habitués à de telles visites. Ils savaient que les Nomades pouvaient être en proie à la famine. — Un bas-relief découvert il y a quelques années le long de la Chaussée d'Ounas [1] représente des Bédouins d'une maigreur effroyable qui sont réduits à manger leurs poux (fig. 1). — Ils ne refusaient pas de les recevoir lorsqu'ils étaient assurés que leurs visiteurs n'avaient que des intentions pacifiques, et qu'ils demandaient à se reposer de leurs fatigues, de leurs angoisses dans un bon pays, à manger à leur faim, boire à leur soif, faire boire leurs troupeaux, échanger des produits. La Muraille du Prince avait été construite au début de la XIIe dynastie pour filtrer ces émigrants et arrêter ceux qui ne pensaient qu'au pillage [2].

Il existait même un poste militaire à l'est de cette muraille, les Chemins d'Horus, que l'on place habituellement à El

[1] Drioton, *Bull. de l'Institut d'Egypte*, XXV (1943), 45-54.
[2] Pap. 1116 B de l'Ermitage, 11, 66-68.

Kantara ou un peu plus à l'est. Sinouhit s'y présenta quand il fut autorisé à rentrer en Egypte. Il attendit avec ses compagnons à l'ombre de la forteresse que les messagers envoyés à Ity-taoui, entre Memphis et le Fayoum, soient revenus de la résidence avec un laisser-passer [1].

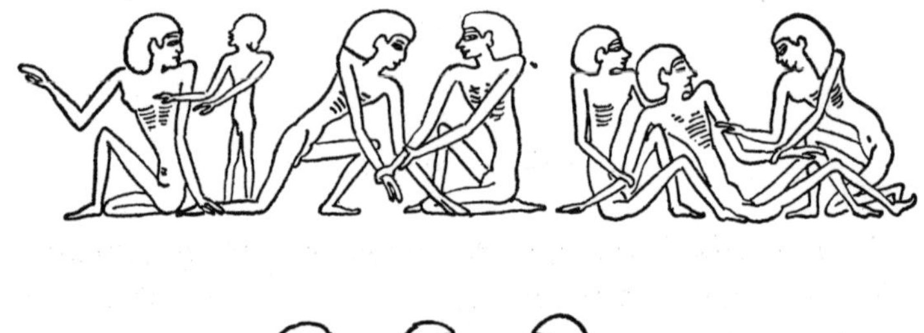

Fig. 1. Bédouins faméliques.

Un tombeau de Beni-Hassan fournit une bonne illustration de *Gen.*, XII, 10 [2]. Une tribu de 37 Aamou s'est présentée au gouverneur du nome de l'Oryx en Moyenne Egypte. Ils venaient du pays vide *to-chou* et désiraient échanger de la poudre noire *msdmt* contre des grains. Ce ne sont pas des faméliques. Hommes, femmes et enfants, ils semblent tous bien portants. Les femmes ont des manteaux de laine aux couleurs variées, les hommes des chaussures et de bonnes armes. Le prêtre joue

[1] Sinouhe B, 240-245; LEFEBVRE, *Romans et Contes*, 21.
[2] NEWBERRY, *Beni-Hasan*, I, pl. XXX-XXXI, XXXVIII.

de la cithare. Le chef vêtu d'un manteau bigarré offre un bouquetin capturé dans le désert comme cadeau de bienvenue (fig. 2).

Cette peinture n'est peut-être pas exactement contemporaine d'Abraham, mais elle en est peu éloignée, puisqu'elle date d'Amenemhat II. L'histoire de Sinouhé s'est passée sous Sanousrit Ier et l'on attribue la Muraille du Prince à Amenemhat Ier. La descente d'Abraham en Egypte se situe dans cette période.

Nous ne savons si le gouverneur de l'Oryx trouva les étrangères à son goût, mais Abraham avait prévu que la beauté

Fig. 2. Réception d'une tribu d'Arabes (*âamw*) dans le nome de l'Oryx.

de Saraï serait signalée au Pharaon, qui se montra, à cause d'elle, généreux pour Abraham. L'époux de Saraï reçut du petit et du gros bétail, des ânes, des serviteurs et des servantes, des ânesses et des chameaux (*Gen.*, XII, 16). Le dernier de ces cadeaux doit retenir notre attention. Le chameau est pour ainsi dire inconnu dans l'ancienne Egypte et Ad. Erman a tiré de cette mention inattendue un argument contre la véracité de la Bible [1].

Il est parfaitement exact que le chameau n'est pas fait pour circuler sur les chemins humides et glissants du Delta du Nil. Souvent il tombe sous son fardeau et ne peut se relever sans aide. Son poids et celui de sa charge ruinent en peu de temps les petits ponts si mal construits qu'on rencontre à chaque pas [2]. Par contre il marche à son aise dans le désert et rien n'interdit de penser que les Egyptiens des postes frontière en apercevaient de temps en temps. Une statuette de chameau qui date de la Ire dynastie a été trouvée à Abousir el Melek [3]. J'en ai trouvé une à Tanis [4] qui date de l'époque ptolémaïque. Bien que le nom du chameau n'ait pas été relevé en égyptien, ces deux figurines, l'une ancienne, l'autre récente, garantissent la véracité de l'histoire d'Abraham.

Où le chroniqueur me paraît en défaut, c'est lorsqu'il assure que Iahvé frappa de grandes plaies Pharaon et sa maison à cause de Saraï. C'est ainsi que plus tard David sera puni de toutes ses mauvaises actions et spécialement d'avoir pris la femme d'Urie le hittite. Mais Pharaon est beaucoup trop au-dessus du reste des humains, étant lui-même dieu et fils de dieu, pour qu'on trouve dans les textes égyptiens la trace d'un tel châtiment et d'un si prompt repentir.

[1] ERMAN, *Aegypten*, 1885, 6. Cette assertion n'est pas reproduite dans la 2e édition revue par Ranke.
[2] COUVIDOU, Etude sur l'Egypte contemporaine, Le Caire, 1873, 97, cité par L. KEIMER, *Bemerkungen und Lesefrüchte zum altäg. Naturgeschichte*, dans *Kêmi*, II, 86.
[3] KEIMER, *ibid.*, *Kêmi*, II, 85-90.
[4] Inédite.

Histoire de Joseph

La visite d'Abraham fut un épisode sans lendemain, mais l'arrivée de Joseph en Egypte eut des conséquences durables, puisqu'elle fut suivie de l'installation des fils de Jacob dans la terre de Gessen. Il y a donc intérêt à fixer aussi exactement que possible la date de cet événement.

Examinons d'abord les chiffres fournis par la Bible. D'après *Ex.*, XII, 40-41, la durée du séjour en Egypte fut de 430 ans, que dans sa prédiction à Abraham (*Gen.* XV, 3), Iahvé réduit à 400. D'après I *Rois*, VI, 1, l'an 480 après la sortie d'Egypte correspond à l'an 4 de Salomon que les historiens fixent à l'an 967 avant l'ère chrétienne. La tribu de Jacob serait donc arrivée en Egypte en 1877 ou en 1847 si l'on prend le chiffre le plus modéré.

Ces dates sont manifestement trop hautes. Si on les acceptait, Joseph serait à peu près le contemporain d'Abraham dont il est séparé par plusieurs générations. La version des Septante donne des chiffres plus modérés: 215 au lieu de 430, 440 au lieu de 480, ce qui place l'arrivée en 1622. Le désaccord de ces chiffres les rend suspects, mais si l'on admet qu'ils aient été établis par conjecture, rien n'empêche de penser que les savants alexandrins disposaient d'une source perdue, par exemple d'un Manéthon authentique et complet [1]. Existe-t-il un moyen sûr d'arriver à une date?

La Bible, qui tait le nom du Pharaon et le lieu de sa résidence, contient un indice important.

Lorsque Joseph est devenu le premier personnage du royaume après le roi, il dit à son père (*Gen.*, XLV, 10): «Tu habiteras au pays de Gessen où tu seras près de moi.»

[1] Ces chiffres ont été diversement interprétés, puisque Flavius Josèphe, *Ant. Jud.*, II, 15, 2, compte 430 ans entre Abraham et l'Exode, ne laissant que 215 ans pour la durée du séjour en Egypte, ce qui est manifestement insuffisant.

Un peu plus loin, les Israélites ayant pénétré en Gessen (*Gen.*, XLVI, 28), Joseph attela son char et monta à la rencontre d'Israël, son père, à Gessen. Puis il vint avertir Pharaon (XLVII, 4).

Tout se passe en un temps très court. A peine les Israélites ont-ils franchi l'isthme de Suez qu'ils sont dans la terre de Gessen. Pour les rejoindre Joseph, qui habite dans la capitale, tout près de Pharaon, n'a qu'à faire une promenade sur son char et par le même moyen il retourne à la résidence pour rendre compte à son souverain. Comme le remarque très justement Maspero [1] le char, en Egypte, ne permettait pas d'aller bien loin. Pour les grandes distances et même les moyennes le moyen de transport était la barque. C'est en barque qu'un grand propriétaire comme Ti visite ses nombreux domaines. Invité à gagner la résidence qui est à Ity-taoui, près de Licht au sud du Caire, Sinouhit qui se trouve aux Chemins d'Horus monte en bateau. Pour que Joseph puisse faire en char les déplacements indiqués plus haut, il fallait que la capitale fût située non loin de Gessen. Nous étudierons la terre de Gessen dans notre chapitre III. Il suffit pour le moment de savoir que cette terre se trouvait dans le triangle formé par le ouadi Toumilat, l'isthme et la bordure des terres cultivées à partir de Pi-Soped, aujourd'hui Saft el Hanneh, jusqu'à Tjarou près d'El Kantara. Nous devons donc exclure Memphis, capitale des rois de l'Ancien Empire, Nensout (Ahnas el Mediné) où siégeaient les rois de la première période intermédiaire, Ity-taoui capitale d'Amenemhat Ier et de ses successeurs, et à plus forte raison le Fayoum et Thèbes. Mais il reste une ville qui répond fort bien et qui répond seule aux conditions que nous avons posées, c'est Avaris, qui fut pendant plus d'un siècle la capitale des rois hyksos, maîtres de toute la Basse Egypte et de la Moyenne jusqu'à Cusae.

[1] MASPERO, *Etudes égyptiennes*, I, 81.

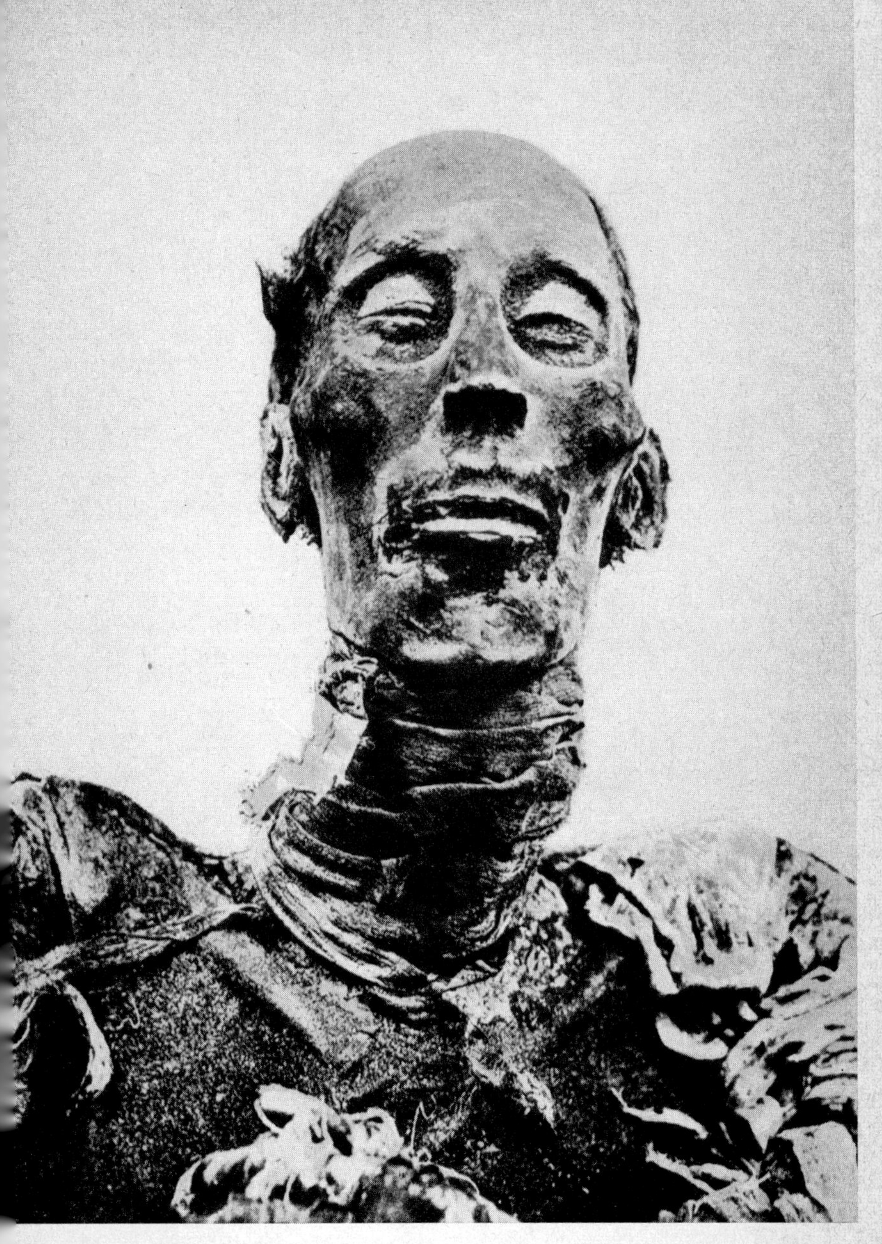

Pl. I. Momie de Ramsès II. *p. 26, 29.*

(D'après Maspero : *Les momies royales de Deir el Bahari*, pl. XV.)

Pl. II. Ramsès II protégé par Houroun de Ramsès, groupe de Tanis. *p. 28*
(Cliché Musée du Caire)

On objectera peut-être que le problème est simplement déplacé puisque les égyptologues ne sont pas unanimes sur le site d'Avaris [1]. En réalité ce site est déterminé. Les monuments de Sân el Hagar qui sont antérieurs au Nouvel Empire et n'appartiennent ni à Tanis, fondée seulement au début de la XXIe dynastie, ni à Ramsès, sont les vestiges d'Avaris que les textes égyptiens et grecs permettent de définir comme une ville vouée de toute éternité au dieu Seth, comme la résidence des Hyksos et comme une cité commerçante, très avantageusement située à l'orient de la branche bubastique [2]. Or la stèle de l'an 400 trouvée à Sân par Mariette, perdue, puis retrouvée par notre mission, établit que 400 ans avant la fondation de la XIXe dynastie par Ramsès Ier le culte de Seth était déjà solidement implanté à Sân el Hagar [3]. Un monument récemment découvert le fait remonter à l'Ancien Empire [4]. Les signatures des rois Hyksos sont plus nombreuses à Sân que dans aucune autre cité [5]. La stèle de Kamose récemment découverte à Karnak montre que les bateaux venus de la côte syrienne remontaient le Nil et s'amarraient à son quai [6], de même qu'Ounamon sous la XXIe dynastie partit de Tanis et descendit le Nil pour se rendre à Byblos [7]. Cette même stèle prouve encore qu'Avaris se trouvait dans des terrains gagnés sur les marécages, que l'on appelait *djâ*. Cette région nommée *Sekhet-djâ*, la prairie des djâ, est devenue plus tard *Sekhet-Djâni*, la prairie de Tanis.

Les rois d'Avaris que nous connaissons mieux depuis la découverte de la tablette Carnavon [8] et de la stèle de Karnak

[1] R. Weill, *The problem of the site of Avaris*, *J.E.A.*, XXI, 10-25.
[2] P. M., *Drame d'Avaris*, chapitres II, III et V, et *Géographie*, I, 197-199.
[3] *La stèle de l'an 400 retrouvée*, *Kêmi*, IV, 191-215.
[4] *Ecrit à Tanis en 1956*, *Rev. arch.*, 1958, I, 1-20.
[5] P. M. *Drame d'Avaris*, 47-54; 79-80.
[6] *C. R. Académie des Inscriptions*, 1956, 112-120.
[7] Lefebvre, *Romans et Contes*, 208.
[8] Cette tablette publiée par A. H. Gardiner, *The defeat of the Hyskos by Kamose*, *J.E.A.*, III, 95-110, raconte le début des hostilités entre le Thébain Kamose

n'étaient pas les barbares impitoyables dépeints par la tradition. Ils s'efforçaient de copier les Pharaons authentiques et auraient aimé réunir les deux terres sous leur seule autorité. Dans ce but, ils accordaient certains avantages à quelques privilégiés [1]. Cependant ils avaient la main lourde, comme nous le verrons plus loin.

L'extrême bienveillance dont fait preuve Pharaon en autorisant les frères de Joseph à s'installer à demeure dans la terre de Gessen paraît plus conforme à la politique des Hyksos. Les Pharaons nationaux étaient moins libéraux. Sans doute depuis le temps du dieu, les Aamou étaient autorisés à faire des séjours d'une durée limitée en terre égyptienne. Sous Merenptah, un officier garde-frontière conduira les Chasou d'Edom depuis la forteresse de Merenptah de Tjekou (Silé) jusqu'aux marais de Pithom, afin de les faire vivre eux et leurs troupeaux sur le grand Ka de Pharaon [2].

Au Moyen Empire, on constate d'après des stèles et surtout d'après un papyrus de la XIIIe dynastie, que d'assez nombreux Asiatiques vivaient en Egypte [3]. La liste du papyrus est particulièrement instructive. Elle devait comprendre 95 noms avec leurs titres et leurs occupations; mais 77 seulement sont conservés, dont 48 asiatiques, hommes, femmes et enfants. Les femmes sont employées au tissage, les hommes et les enfants sont domestiques, cuisiniers, brasseurs, magasiniers. Les adultes ont gardé leur nom asiatique, mais les enfants ont des noms égyptiens. Ils peuvent être cédés par

et les Hyksos. Elle est la transcription du début d'une stèle érigée par Kamose à Karnak, dont quelques morceaux ont été trouvés en 1938 (LACAU, dans *Ann. Serv.*, XXXIX, 245. La stèle complète signalée ci-dessus, p. 17, n. 6, était la suite de la stèle brisée. Il y a actuellement entre les deux textes un hiatus considérable.

[1] Tablette Carnavon, 11, 5-6 (*J.E.A.*, III, 103).

[2] Pap. Anastasi, VI, 51 (*Bibliotheca aegyptiaca*, VII, 76); P. M., *Drame d'Avaris* 145 et GARDINER, dans *J.E.A.*, XXXIX, 7.

[3] W. C. HAYES, *A papyrus of the late middle Kingdom in the Brooklyn Museum* (Pap. Brooklyn, 35, 1446) New-York, 1955.

l'organisme public auquel ils furent affectés tout d'abord, à des particuliers et obtenir chez ceux-ci des emplois de confiance. Ils peuvent aussi être vendus à d'autres particuliers [1].

Ces esclaves ne sont pas d'anciens prisonniers de guerre, car les Pharaons du Moyen Empire n'ont pour ainsi dire pas guerroyé en Palestine et en Syrie, alors que sous la VIe et la XVIIIe dynastie les expéditions militaires sont incessantes. Par contre les échanges commerciaux entre les deux pays sont bien attestés. Byblos fournissait à l'Egypte du bois et des bateaux [2]. Un certain Thouti-hotep s'était installé à Mageddo et se procurait des bœufs qu'il faisait passer en Egypte [3]. Des ouvriers asiatiques travaillaient dans les mines de turquoise [4] (fig. 3). Ces échanges commerciaux ont très bien pu coïncider avec un trafic d'esclaves. Des gens considérés comme indésirables dans leur tribu — en somme ce fut le cas de Joseph — d'autres qui préféraient comme le chien de La Fontaine un esclavage confortable à la liberté de mourir de faim, étaient la matière de ce trafic, qui n'était pas à sens unique puisque Saraï (*Gen.*, XVI, 1) avait une esclave égyptienne.

On ne saurait comparer ces esclaves asiatiques aux fils de Jacob. C'est une tribu tout entière qui passe en Egypte, qui restera groupée et pourra se multiplier tout à son aise dans un territoire qui lui appartient en pleine propriété: territoire que Pharaon, dorant un peu la pilule à ses protégés, qualifie de meilleure partie du pays. Il faudra attendre la XXVIe dynastie pour trouver un autre Pharaon aussi bienveillant à l'égard des étrangers. C'est Amasis qui, pour attirer les Grecs,

[1] POSENER, *Les Asiatiques en Egypte sous les XIIe et XIIIe dynasties*, *Syria*, XXXIV (1957), 145-163.

[2] P. M., *Byblos et l'Egypte*, 7-10.

[3] LOUD, *Megiddo*, II, pl. 149, n° 32. L'arrivée de ces bœufs en Egypte est représentée dans le tombeau de Thouty-hotep à El Bersheh; cf. Blackmann dans *J.E.A.*, II, 13-14.

[4] GARDINER and PEET, *The inscriptions of Sinaï*, and CERNY, 2e éd., n° 112; cf. CERNY, *Semites in egyptian mining expedition to Sinaï*, *Archiv Orientalni*, VII (1935), 384-389.

leur concède le district d'Ânou dans le IIIe nome de la Basse Egypte [1].

Nous verrons dans notre seconde partie que Pharaon, au cours des sept années de famine, acquiert à l'instigation de Joseph l'argenterie, les bêtes, les terrains, les maisons et enfin les gens en échange de nourriture. Et cela aussi est le fait d'un souverain d'origine étrangère plus que d'un Pharaon national.

Fig. 3. Emigrants asiatiques au Sinaï.

Etant admis que Joseph est devenu ministre d'un roi d'Avaris, est-il possible de préciser davantage et de le désigner par son nom? Le Canon royal de Turin contenait certainement une liste soigneusement établie de ces rois étrangers au nombre de six, qui avaient régné en tout 108 ans, mais il n'a conservé qu'un seul nom, Khamoudi, inconnu par ailleurs. Les abréviateurs de Manéthon ne sont pas d'un grand secours, bien que Josèphe et l'Africain aient retenu qu'il y avait six rois et Eusèbe que la durée des règnes faisait 109 ans. Quant aux documents contemporains, ils mentionnent seulement Khyan et trois Apepi, qui avaient pour prénom Aousirrê, Neb khepechrê et Aqnenrê. C'est ce dernier qui fut attaqué par Kamose.

[1] Stèle de l'an III d'Amasis, *Rec. trav.*, XXII (1900), 2.

Joseph qui avait 30 ans lorsque Pharaon fit sa fortune (*Gen.*, L, 25) mourut à 110 ans, ce qui était l'âge idéal pour les Egyptiens. On le mit dans un cercueil en Egypte (*Gen.*, L, 26), comme cela était arrivé sous le second Apepi à un nommé Abdou [1]. Comme il désirait reposer dans son pays il fit jurer aux fils d'Israël d'emporter ses ossements, ce qu'ils firent quand ils quittèrent l'Egypte (*Ex.*, XIII, 19).

Il est vraisemblable que la situation au moment de la mort de Joseph n'était plus ce qu'elle était au début de sa carrière. Sans cela on aurait fait pour Joseph ce qu'il avait fait lui-même à Jacob (*Gen.*, L, 4-7). On l'aurait tout de suite enterré en Canaan auprès de ses pères. Puisqu'on ne l'a pas fait, et que Joseph a adjuré les fils d'Israël en disant : «Elohim vous visitera certainement et vous ferez monter mes os d'ici avec vous», c'est que sa mort s'est produite après qu'Ahmose eut chassé les Hyksos d'Avaris et de toute l'Egypte en 1580. Ainsi la carrière de Joseph a coïncidé avec les derniers rois hyksos et les premiers Pharaons de la XVIIIe dynastie. Nous arrivons à un résultat assez voisin de celui que l'on obtient en prenant les chiffres fournis par la Septante : 1622 avant l'ère chrétienne, peu éloigné de la réalité, même s'il a été obtenu en partant de données inexactes.

Lorsque Pharaon eut placé Joseph au-dessus de tout le pays d'Egypte, il jugea nécessaire de lui donner un nom égyptien et une famille (*Gen.*, XLI, 45). Rien n'est plus vraisemblable. Des stèles et le papyrus Brooklyn nous font connaître des esclaves asiatiques qui prennent un nom égyptien et se fondent dans l'ensemble de la population [2]. Sous Merenptah un certain Ben-Azen, originaire d'un pays situé à l'est du lac de Tibériade, a pu comme Joseph s'élever à une haute situation [3]. Il était héraut royal, porte-éventail à la droite du roi et lavait

[1] *Ann. Serv.*, VII, 115-120.
[2] POSENER, dans *Syria*, XXXIV, 153-156.
[3] LEIBOVITCH, *Les stèles du Sémite Ben-Azen*, *Ann. Serv.*, L, pl. VIII.

les mains de son maître qui lui attribua deux noms : Ramessou-em-pi-Rê et Ramsès dans la maison de Râ Mer-Iounou. Joseph, lui, reçut le nom de Sapnat-Paneakh et son épouse Asenath était fille de Puti-perâ prêtre d'On.

Le premier de ces noms, celui de Joseph, a été très bien expliqué par Steindorff[1] et Spiegelberg[2] : *Djepaneterefankh*, Dieu dit qu'il vit. Si l'on ne trouve pas exactement ce nom dans le dictionnaire des noms propres de Ranke, des noms du même type sont fréquemment attestés à partir de la XXe dynastie, par exemple *DjePtahefankh*, Ptah, ou Thot, ou un autre dieu, dit qu'il vit[3]. On peut même se demander si le mot *Neter*, Dieu, n'a pas été intentionnellement mis à la place des dieux particuliers dont se serait réclamé un Egyptien authentique.

Les égyptologues expliquent le nom de la femme Asenath *Nst Nt*, Celle qui appartient à Neith. Beaucoup de noms propres égyptiens sont formés de l'adjectif *nsy*, qui appartient à, féminin *nst*, et d'un nom divin. Cependant *Nst Nt* n'a pas été enregistré par Ranke. C'est pourquoi je préfère rapprocher l'élément final *nath*, qui existe aussi dans le nom de Joseph, de l'égyptien *neter*, car le *r* final n'était plus prononcé au Nouvel Empire. Asenath est donc en définitive celle qui appartient à Dieu.

Deux Puti-pera ont joué un rôle dans l'existence de Joseph, celui qui l'a acheté dès son arrivée en Egypte et son beau-père, qui était prêtre d'On — il faut comprendre prêtre de Toum à On, égyptien *ỉwnw*, grec Héliopolis, ou de l'un des dieux honorés dans cette ville. On obtient en le transcrivant *Pa dy pa Rê*, celui que Râ a donné. Nombreux sont en égyptien les noms formés de *pa dy*, celui qu'a donné, et d'un nom divin. *pa dy Rê* est attesté à partir de la XVIIIe dynastie[4]. Les

[1] Steindorff, dans *Z.A.S.*, XXXVIII (1889), 41-42.
[2] Spiegelberg, *ibid.*, XLII, 84-85.
[3] Ranke, *Personennamen*, 123.
[4] Le plus ancien *Padyparê* connu est mentionné sur une stèle qui ne peut être antérieure à la XXIe dynastie, Hamada, *Stela of Putifar*, *Ann. Serv.*, XXXIX, 272-276.

exemples avec l'article *pa* sont rares et tardifs, mais dans les inscriptions ramessides de Sân el Hagar le nom du dieu solaire est habituellement précédé de l'article, *Pa Rê* au lieu de *Rê*.

Ainsi, bien que l'histoire de Joseph se place dans la seconde partie du XVIIe siècle avant notre ère, les noms propres égyptiens appartiennent au Nouvel Empire et même à l'époque ramesside (XIIe siècle). On rapprochera de ce fait l'emploi, par inadvertance, de la terre de Ramsès, qui par définition, date de la XIXe dynastie, au lieu de Gessen, dans *Gen.*, XLVII, 11.

Ce sont des indices à retenir pour qui veut fixer la rédaction du Pentateuque.

CHAPITRE II

LA PERSÉCUTION, MOÏSE ET L'EXODE

Ramsès II

Le moment est venu d'identifier le Pharaon qui n'avait pas connu Joseph (*Ex.*, I, 8) et imposa des chefs de corvée aux fils d'Israël (*Ex.*, I, 11).

Considérons d'abord les chiffres fournis par la Bible. La version des Septante évalue à 440 ans l'intervalle entre la construction du temple, 967 av. J.-C., et l'Exode, ce qui donne la date 1407 et coïncide avec le début du règne d'Amenhotep III. Selon la version hébraïque, qui recule l'Exode de 40 ans, cet événement se serait produit sous le règne d'Amenhotep II et le Pharaon persécuteur ne serait autre que Thoutmose III.

Ces attributions ont des partisans [1].

Deux arguments ont été mis en avant. Plusieurs savants estiment que puisque l'installation des fils d'Israël en Gessen fut rendue possible par les rois hyksos, leur départ dut suivre d'assez près la reprise d'Avaris, dans la première moitié du XVIe siècle [2]. Ce raisonnement ne me paraît pas valable, car

[1] LEFÉBURE, dans *Bibliothèque égyptologique*, XXXV, 471-477; MALLON, *Les Hébreux en Egypte*, 178-181; Sir CH. MORSTON, *La Bible a dit vrai*, 170-180; J. JANSSEN, dans *Biblica*, XV (1934), 538. VAN DE WALLE, art. « Hyksos », dans le *Dictionnaire de la Bible*, suppl. fasc. XVIII, 165.

[2] A. H. GARDINER, *Tanis and Pi-Ramesse, a retraction*, *J.E.A.*, XIX, 127; DUSSAUD, *Rev. Hist. des Religions*, CIX (1934), 127.

il s'agit justement de savoir si les fils d'Israël n'ont pas su se faire oublier ou tolérer par les vainqueurs. Ils n'étaient pas venus comme des conquérants, les armes à la main, mais en mendiants pour solliciter des vivres. Ils étaient inoffensifs et pouvaient même être utiles. S'ils avaient été dangereux Ahmose, le vainqueur d'Avaris, aurait sur-le-champ réglé leur cas.

Le second argument est tiré des fouilles de Jéricho, l'une des trois cités, avec Hazor et Aï, prises et incendiées par Josué, plus de quarante ans après la sortie d'Egypte. Garstang, qui a fouillé Jéricho avec acharnement, y a distingué comme d'autres archéologues l'avaient fait à Troie et à Mycène, les vestiges superposés de plusieurs villes [1]. La IVe Jéricho dont le double mur a été trouvé écroulé, dont le palais et les maisons présentent des traces d'incendie, a fourni des tessons, des armes, des perles, des scarabées qui sont tous antérieurs à l'an 1400 et l'on n'a pas manqué d'insister sur l'absence presque complète de tessons mycéniens.

La tentative de dater un événement historique, tel que la prise de Jéricho, par des documents archéologiques, puisque aucune inscription touchant de près ou de loin à l'événement n'est sortie des fouilles n'est nullement condamnable, mais les scarabées et les tessons sont des témoins peu sûrs. Les scarabées voyagent beaucoup et l'on ne sait pas toujours s'ils sont contemporains du roi dont ils portent le nom. On a fait des scarabées au nom de Thoutmose III jusqu'à l'époque ptolémaïque. Les scarabées fournis par les fouilles de Jéricho sont d'ailleurs en petit nombre ; plusieurs sont attribuables aux Hyksos, un à la reine Hatchepsout, deux à Thoutmose III, un à Amenhotep III. L'absence de scarabées postérieurs à ce règne ne prouve donc absolument rien. En fait le livre de

[1] Garstang, *Jericho, city and necropolis*, *Ann. of arch. and anthr. Liverpool*, XIX-XXIII (1932-1936). Résumé dans Barrois, *Manuel d'archéologie biblique*, 1939, 171-183.

l'Exode contient, si l'on veut y prendre garde, les données permettant de résoudre le problème chronologique.

La première donnée concerne la longue vie du Pharaon oppresseur. Il régnait déjà depuis quelque temps et la persécution était commencée lorsque naquit Moïse qui attendit d'avoir 80 ans (*Ex.*, VII, 7), après la mort du persécuteur, pour parler à Pharaon. Les fils d'Israël qui avaient supporté leur sort en silence gémirent alors de leur esclavage. Quel est donc le Pharaon qui, après un règne long et glorieux, eut pour successeur un roi beaucoup plus faible, sous lequel ce qui avait paru impossible auparavant sembla à portée de la main? Il n'y en a qu'un pendant tout le Nouvel Empire. C'est Ramsès II qui régna 67 ans et imposa à ses adversaires une paix qui, dans la seconde partie du règne, ne fut plus troublée (pl. I). Merenptah n'eut pas autant de chance et l'invasion libyenne qui mit en l'an V l'Egypte à deux doigts de sa perte était pour les fils d'Israël une occasion inespérée [1].

La seconde indication concerne les villes où furent employés les fils d'Israël (*Ex.*, I, 11), Pithom et Ramsès, que le chroniqueur appelle villes de dépôt pour Pharaon. Il sera parlé plus longuement de ces villes dans le chapitre de la géographie. Je veux simplement ici mettre en évidence l'erreur de ceux qui soutiennent que Ramsès II a embelli et développé les places de Pithom et Ramsès, mais qu'il ne les a pas créées [2].

Il existait au Moyen Empire, dans tout le Delta oriental, des cités anciennes et prospères où les Pharaons avaient construit à grands frais des temples en pierre belle et bonne: Avaris, Pi-Soped, Pithom, Imé. Ces cités ont été complètement négligées par les rois de la XVIIIe dynastie. Amenhotep III a travaillé à Athribis, parce que son principal ministre

[1] Thoutmose III a régné 54 ans, en comptant la régence d'Hatchepsout, mais son fils Amenhotep II, le roi sportif par excellence n'était pas homme à trembler devant Moïse et Aaron.

[2] LODS, *Israel*, 211.

Amenhotep, fils de Hapou, y avait vu le jour. D'autres rois ont fait faire des travaux à Bast et Tjarou, parce que ces villes étaient situées sur la route d'Egypte en Syrie, mais partout ailleurs on peut faire la même observation. L'Ancien et le Moyen Empire et même la seconde période intermédiaire ont laissé des traces souvent importantes. La XVIIIe dynastie en est absente. Sous Ramsès II partout s'élèvent des monuments : à Sân el Hagar, à Tell el Maskhouta, à Bast, à Horbeit et le long du canal des Pharaons [1].

Il n'est pas très difficile d'expliquer cette différence de traitement. Originaires de Thèbes, les Pharaons de la XVIIIe dynastie n'étaient pas disposés à répandre leurs largesses sur des villes qu'avait souillées la présence des Hyksos et qui avaient fait bon ménage avec les étrangers, vils esclaves révoltés contre leur maîtresse, l'Egypte. Mais la XIXe dynastie est très différente de celle qui l'a précédée. Issue d'une famille ancienne où se sont recrutés jusqu'au prince Séti, le futur Séti Ier, les grands prêtres de Seth, la bête noire des Thébains, cette dynastie qui s'est substituée après la mort d'Horemheb, vers 1320-1315, à une famille complètement épuisée, a voulu d'abord se rallier les dévots d'Osiris et d'Amon, mais Ramsès II, jugeant que l'avenir lui appartenait, avait d'autres vues. A peine le deuil de son père était-il fini qu'il se transportait dans son bateau royal escorté par toute une flotte à l'orient du Delta pour y fonder une capitale qui recevrait son nom [2]. Il n'aimait pas le climat de Thèbes et voulait mettre le plus d'espace possible entre sa résidence et le clergé d'Amon toujours enclin à faire la loi aux rois. Ce dessein l'obligeait non seulement à construire une capitale, mais à redonner la vie à toute une région déshéritée et à améliorer ses communications avec les grandes cités d'On et de Memphis et toute la Haute-Egypte, mais aussi avec tout le Delta et les pays de l'est.

[1] P. M., *Drame d'Avaris*, ch. IV.
[2] Inscription dédicatoire d'Abydos, l. 29, dans *Z.A.S.*, XLVIII, 42-66.

C'est ainsi que Ramsès II fut amené à pratiquer une nouvelle politique à l'égard des descendants de Jacob installés dans leur terre de Gessen et même dans les pays environnants. Des guerres heureuses avaient procuré des prisonniers qui travaillaient dans les carrières et traînaient les blocs dans les chantiers, mais il fallait aussi penser aux enceintes et aux magasins construits en brique crue et fabriquer de ces matériaux en grand nombre et à une cadence rapide. On comprend que Ramsès n'ait pas voulu imposer ce travail aux Egyptiens [1] et qu'il ait préféré en charger des étrangers accueillis par charité et devenus si nombreux qu'ils pourraient, si une guerre survenait, se joindre aux ennemis (*Ex.*, I, 9).

En troisième lieu, nous appliquerons à Ramsès II l'observation que nous avons faite à propos du roi qui fit l'élévation de Joseph. Installé à Avaris, ce roi avait les fils d'Israël pour proches voisins. Or il est évident que la cour du Pharaon à l'époque de Moïse était pour ainsi dire en contact avec ceux-ci puisque la fille de Pharaon, comme elle se rendait au bain avec ses compagnes, aperçut la corbeille du petit Moïse. Devenu grand, Moïse entretient Pharaon presque à volonté sans s'éloigner des siens et dès que l'Exode eut été signalé, Pharaon se mit à la poursuite des fugitifs. Les nombreux textes qui concernent la résidence de Ramsès II dans le Delta, Pi-Ramsès pour lui donner son nom égyptien, prouvent que non seulement Ramsès II y fit de longs et nombreux séjours, (pl. II) mais que ses premiers successeurs Merenptah et Seti-Merenptah l'ont imité [2]. La faveur de cette résidence est en baisse sous Ramsès III qui, cependant, y fit faire des travaux et y célébra son jubilé. Le nom de Ramsès VI s'y rencontre

[1] DIODORE, I, 56, note que Sesoosis n'employait pas d'Egyptiens dans ses travaux de construction.

[2] Rassemblés, traduits et commentés dans A. H. GARDINER, *The Delta residence of Ramessides*, *J.E.A.*, V, 127, 179, 242. Supprimer le n° 17 et ajouter la stèle de Beisan (GARDINER, *The geography of the Exodus*, dans *J.E.A.*, X, 93); cf. P. M., *Drame d'Avaris*, 118-143.

plusieurs fois [1], puis ce sera le silence jusqu'à la guerre des Impurs [2].

Cette observation élimine complètement les rois de la XVIIIe dynastie qui, tous, ont résidé en Haute-Egypte, les uns à Thèbes, les autres à Akhetaton (El Amarna). Sans doute Memphis, Bubaste, Tjarou ont eu leur visite quand ces rois allaient guerroyer en Syrie ou revenaient chargés des dépouilles ennemies, mais ces visites ne furent jamais de longue durée. Il est impossible de placer dans cette époque l'épisode de la fille de Pharaon et l'on ne voit pas davantage Moïse arrêtant le cortège du roi pour lui présenter les revendications de son peuple.

Merenptah

Pendant les longs jours de la persécution, la Bible ne mentionne qu'un seul changement de règne (*Ex.* II, 23). Il découle de ce que nous avons établi que c'est sous Merenptah fils, et successeur de Ramsès II, que le conflit entre Israël et Pharaon s'est aggravé et aboutit à l'Exode. Il y a pourtant une difficulté. Moïse avait 80 ans quand il revint du désert pour parler à Pharaon (*Ex.*, VII, 7) [3].

Acceptons provisoirement cette donnée. Nous savons que Ramsès II a régné 67 ans [4]. Sa momie qu'a étudié le Dr Fouquet au moment de la découverte dénote un âge de 90 ans [5] (pl. I). Il avait donc 23 ans en montant sur le trône. Sa fille, quand elle adopta Moïse, était assez grande pour aller à la promenade avec ses suivantes et prendre une décision. Il est donc

[1] Bloc de granit remployé à Tanis dans le pavage de l'allée centrale et statue du temple du nord, inédite.

[2] P. M., *Drame d'Avaris*, ch. V.

[3] L'âge de Moïse à ce moment décisif est confirmé par l'auteur des Actes des Apôtres, 23-30; Moïse, qui avait 40 ans lorsqu'il prit la fuite après le meurtre de l'Egyptien, revint 40 ans plus tard.

[4] GAUTHIER, *L. d. R.* III, 49.

[5] MASPERO, *Les momies royales de Deir el Bahari*, *Mém. Miss. Fr.*, I, 774.

difficile de placer la naissance de Moïse avant l'an 10. La persécution durait déjà depuis un certain temps. L'intervention de Moïse se serait alors produite une vingtaine d'années après la mort de Ramsès II, non pas sous le règne de Merenptah qui n'a duré que dix ans, mais sous celui de Siphtah ou même Séti II. Il se peut toutefois que les chiffres aient été un peu arrondis. Pour ce problème, c'est surtout la stèle de Merenptah, dite stèle d'Israël, que Fl. Petrie a trouvée à Thèbes dans le temple de Merenptah qui est à considérer [1]. Dans les dernières lignes de ce long panégyrique nous lisons ceci :

Parmi les Neuf Arcs [2] *pas un ne lève la tête.*
Tehenou (un des peuples libyens) *est soumis.*
Le Khatti est en paix.
Canaan est capturé avec tout ce qu'il a de mauvais.
Ascalon est déporté.
On s'est saisi de Gezer.
Yenoam est comme si elle n'était pas [3].
Israël est rasé et n'a plus de semence [4].
Le Kharou est comme une veuve [5] *de l'Egypte.*

L'interprétation de ce texte est loin d'être claire. Pour la plupart des auteurs Merenptah a réellement conduit ou envoyé une expédition en Palestine afin de compléter sa victoire sur les Libyens [6]. Comment s'explique dans cette hypothèse la mention d'Israël? Les savants qui placent l'Exode sous la

[1] Caire, 34025, dans LACAU, *Stèles du Nouvel Empire*, avec la bibliographie.
[2] Les Neuf Arcs sont les peuples ou pays qui doivent obéissance et service militaire au Pharaon, la Haute et la Basse-Egypte et sept pays environnants parmi lesquels le Tehenou.
[3] Cliché fréquent dans les stèles triomphales.
[4] Le mot *prt* a deux sens en égyptien (*W.A.S.*, I, 550) : grain pour l'ensemencement et postérité; SPIEGELBERG, *Der Siegeshymnus der Merenptah*, *Z.A.S.*, XXXIV (1896), 1-25, traduit par céréales et comprend que les fils d'Israël en s'enfonçant dans le désert devaient périr à bref délai.
[5] Jeu de mots entre Kharou et *kharit* veuve.
[6] DRIOTON et VANDIER, *Egypte*, coll. *Clio*, 3e éd., 431.

XVIIIe dynastie pensent donc que les troupes égyptiennes ont rencontré et défait pendant la campagne de Palestine des tribus hébraïques qui s'efforçaient de pénétrer de Qadesch en Canaan [1]. Ceux qui datent l'Exode de Merenptah supposent que d'autres Israélites menaient la vie nomade de l'autre côté de l'isthme de Suez [2]. Une troisième hypothèse consisterait à soutenir que les Israélites si maltraités sont précisément les habitants de Gessen qui avaient eu l'audace de se révolter contre Pharaon [3].

Ces hypothèses ont ceci de commun qu'elles supposent que la campagne de Palestine a réellement eu lieu. C'est précisément ce qui n'est pas établi. On ne se pose pas la question de savoir si Thoutmose III a vraiment conquis la Syrie dans toute sa longueur et atteint l'Euphrate, s'il est vrai que Séti Ier a durement châtié les peuples de la Palestine méridionale qui s'agitaient, que Ramsès II s'est heurté à Qadesch à une coalition gigantesque. Les textes qui relatent ces événements enregistrent le départ de l'armée, sa marche en avant, les rencontres décisives, le retour triomphal. Ici rien de pareil. On se contente d'exprimer un état de fait. Le Khatti fidèle à ses traités est resté tranquille. Les groupes ethniques qui sans doute avaient manifesté des intentions belliqueuses et étaient prêts à la curée se sont bien gardés de bouger quand ils ont su la défaite des Libyens.

L'Egypte l'avait en effet échappé belle. L'armée libyenne qui venait de l'ouest avait évidemment Memphis pour objectif. Elle aurait pu remonter la branche canopique du Nil et attaquer la vieille capitale par le nord et par l'ouest. C'est ce qu'attendaient les Egyptiens. Le chef des Libyens conçut une autre manœuvre. La grande stèle de Merenptah à Karnak les

[1] LODS, *Israel*, 214-215.
[2] DRIOTON, *La date de l'Exode*, *Rev. d'hist. et de philos. religieuses*, I (1955), 45. VAN DE WALLE, art. *Inscriptions égyptiennes*, *Dictionnaire de la Bible*, suppl. fasc. XIX, 445-446.
[3] *Ibid.*, 46.

montre plantant leurs tentes devant Pi-Barset et installant leur campement sur le talus du canal d'Ity [1]. Pi-Barset est Bubaste comme l'a démontré Gardiner [2]. Le canal d'Ity souvent cité dans les textes égyptiens arrose On, peut-être Bubaste, et se perd dans un lac du nome de Soped [3]. Ainsi un corps de l'armée d'invasion en se dirigeant vers l'est trompait les Egyptiens et coupait Memphis et On et naturellement toute la Haute-Egypte des places situées au nord de Bubaste. L'ennemi comptait sans doute sur un soulèvement général des peuples habitant le pays de Canaan et la Palestine méridionale, sans oublier les fils d'Israël qui supportaient si mal d'être assujettis à de dures corvées. Ainsi se trouvaient vérifiées les craintes que la Bible prête à Pharaon dans *Ex.*, I, 9-10 : « Voici que le peuple des fils d'Israël est plus nombreux et plus fort que nous. Allons, avisons-y, de peur qu'il n'augmente encore et que lorsqu'une guerre surviendra, il ne se joigne à nos adversaires et guerroie contre nous pour remonter ensuite de ce pays. »

La victoire de Merenptah contre les Libyens en un lieu dont la position et même la lecture sont incertaines [4], obligea l'armée d'invasion à la retraite et étouffa dans l'œuf les velléités belliqueuses des voisins immédiats de l'Egypte qui ne songèrent plus qu'à se prosterner.

Si nous avons convenablement interprété la stèle de Merenptah, il est clair que les fils d'Israël se trouvaient encore en Egypte en l'an V de ce roi. Sans doute n'y étaient-ils plus pour longtemps. Moïse et Aaron estimaient qu'après une victoire obtenue de justesse la puissance de leurs oppresseurs n'était plus ce qu'elle était et qu'ils ne pourraient sérieusement s'opposer à leur départ.

[1] Publiée par MAX MULLER, *Egyptological Researchs*, I, pl. 17-22. Traduction du passage dans GARDINER, *J.E.A.*, V, 258.
[2] *J.E.A.*, V, 258-259.
[3] P. M., *Géographie*, I, 169, 211.
[4] H. GAUTHIER, *D. G.*, II, 58-59.

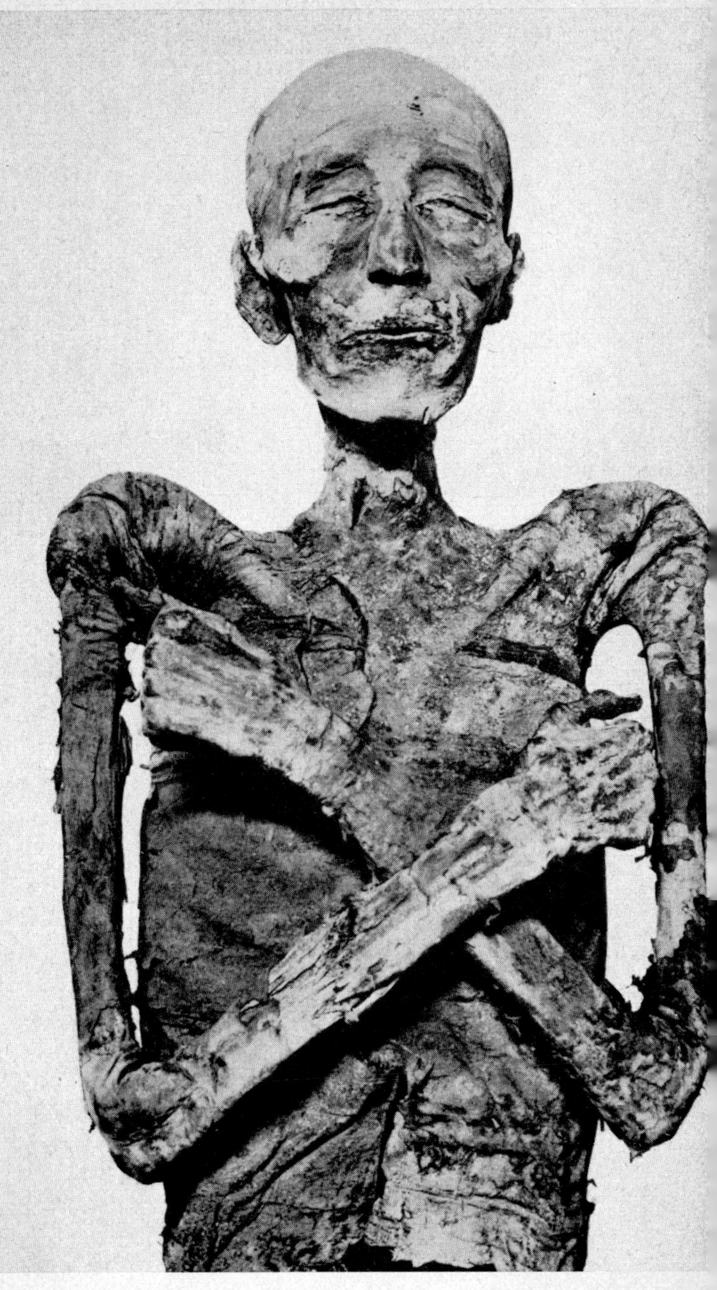

Pl. III. Momie de Merenptah. *p. 33*

(D'après Elliot Smith, *The royal Mummies*, pl. XLVI.)

PL. IV. Portrait de Merenptah sur son sarcophage usurpé par Psousennès. *p. 34* (*Psousennès*, pl. LXXVII.)

Les frères de Joseph se sont installés en Egypte, avons-nous dit, vers 1620, Moïse et les siens sont partis en 1228. La durée du séjour des fils d'Israël en Egypte fut donc d'environ 390 ans peut-être un peu moins, difficilement plus. Notre évaluation se rapproche beaucoup des 400 ans annoncés dans la prédiction à Abraham (*Gen.*, XV, 3).

Ce chiffre de 400 évoque un document célèbre, la stèle de l'an 400 trouvée à Sân par Mariette, perdue et retrouvée par la mission de Tanis [1]. L'ère de l'an 400 fut inaugurée par un roi nommé Seth-apehti Noubti, fondateur d'un royaume éphémère qui précéda de peu l'invasion des Hyksos et prit fin lorsque Ramsès Ier fonda vers 1318 l'ère dite de Ménophrès en même temps que la XIXe dynastie [2]. Elle n'a sans doute rien à voir avec le séjour des Israélites. Elle s'est déroulée pourtant, à peu de chose près, pendant que les Israélites étaient en terre de Gessen et confirme ainsi la durée de leur séjour dans cette terre.

Merenptah mourut après un règne de dix ans. Il se fit faire un tombeau dans la Vallée des Rois qui fut violé pendant les troubles qui se produisirent à la fin de la XXe dynastie. Sa momie fut alors transportée dans une salle du tombeau d'Amenhotep II convertie en cachette royale (pl. III). Elle a été retrouvée par V. Loret en 1898 [3].

En même temps Merenptah avait un cénotaphe dans le cimetière *kher* de Ramsès [4]. Ce kher n'est connu que par les textes, mais le sarcophage de Merenptah usurpé par Psousennès qui a été retrouvé par la mission de Tanis dans le tombeau de Psousennès en est une pièce détachée. Les cartouches de Merenptah ont été effacés et remplacés par ceux de Psousennès,

[1] *Kêmi*, IV, 191-217.
[2] P. M., *Drame d'Avaris*, 111-112.
[3] Elliot Smith, *The Royal Mummies* (cat. gén. Caire), pl. XLVI-XLIX.
[4] Le Kher de Ramsès (Pap. Anastasi, VIII, 9-10, dans *J.E.A.*, V, 197) se trouvait au bord des Eaux de Râ, la branche tanitique dans son cours inférieur : P. M., *Géographie*, I, 195, 200-201.

mais ce travail a été fait avec négligence. Plusieurs fragments du nom original et le nom complet sur la boucle de ceinture rétablissent la vérité. Le personnage allongé sur le couvercle du sarcophage nous offre donc un portrait, sans doute le meilleur que nous ayons, du roi de l'Exode (pl. IV) [1]. On pourra le comparer avec la momie. L'expression à la fois majestueuse et paterne concorde bien avec le caractère de ce roi, tel que le présente le livre de l'Exode, dur et impérieux, mais aussi extrêmement impressionnable.

Le nom de Moïse

Le nom de Moïse: Mosheh (*Ex.*, II, 10) est généralement considéré comme d'origine égyptienne [2]. L'enfant dit-on, devint un fils pour la princesse qui l'avait sauvé. Il y eut sans doute adoption légale. La fille de Pharaon se substituait aux parents pour donner un nom à l'enfant. Elle n'a pas voulu dire autre chose par la phrase célèbre: « C'est que je l'ai tiré des eaux. »

Josèphe et beaucoup d'autres après lui ont pensé que ces simples mots contenaient l'explication du nom [3]. Les Egyptiens, dit-il, appellent l'eau *μῶ* et ceux qui sont sauvés de l'eau *ὕσης*. Philon sait aussi que l'eau se dit *μῶυ* [4], mais glisse sur l'élément final. Que celui-ci soit *σης* ou *υσης*, il peut être rapproché du mot *ḥsy*, loué, qui se dit des noyés qui ont été repêchés et seront enterrés dans une sépulture. L'immortalité par la noyade, cette idée s'était répandue dans les derniers siècles avant l'ère chrétienne [5].

[1] M. M., *Psousennès*, pl. LXXVII.
[2] A. H. GARDINER, *The egyptian origin of some english personal names*, *Journ. of the amer. or. soc.*, LVI, 192.
[3] JOSÈPHE, *Ant. Jud.*, II, 128; *Contre Apion*, I, 286.
[4] PHILON, *De vita Moysis*, I, 4.
[5] CERNY, *Greek etymology of the name of Moses*, *Ann. Serv.*, LI, 349-354.

Fig. 4. Philistins prisonniers de Ramsès II.

La fille de Pharaon n'a certainement pas pensé à tout cela. Elle a donné à l'enfant le premier nom qui lui est venu à l'esprit, Mose, qui forme le second élément des noms tels que Thoutmose, Iahmose, Ramose. Ces noms signifient Tel dieu est né, et on les donnait aux enfants qui naissaient le jour anniversaire de la naissance du dieu. La princesse avait-elle oublié quel dieu était né le jour où se produisit la rencontre? En Egypte, il arrive souvent que le nom du dieu soit sous-entendu, ce qui nous vaut de nombreux *Mesw* ou *Mesy*[1].

[1] RANKE, *Personennamen*, II, 227.

L'un d'eux ne serait-il pas le chef des fils d'Israël? Deux papyrus ramessides qui datent approximativement du règne de Séti II [1] mentionnent un certain Mose, personnage redoutable et mystérieux qui peut châtier le fonctionnaire incompétent et même destituer un vizir. Au-dessus du vizir, remarque Cerny [2], il n'y a que Pharaon. On peut donc très légitimement penser à l'un des derniers rois de la XIXe dynastie, Amenmose, dont le nom aurait été abrégé en Mose, de même qu'on appelle familièrement Ramessou, Sessou. On peut aussi se demander si un Pharaon inconnu n'avait pas auprès de lui un favori du nom de Mose devant qui les plus puissants tremblaient. De là à penser que ce favori est Moïse il y a un grand pas que pour ma part je ne veux pas franchir.

Quelques autres personnages bibliques portent des noms égyptiens. Tels: Phinekhas, fils d'Eleazar (*Ex.*, VI, 25; *Nom.*, XXV, 7) dont on rapproche à juste titre le nom de *Panehsy*, le nègre [3]. Un Panehsy fut chef du trésor sous Amenhotep III, un autre vizir sous Merenptah, un troisième fils royal de Kouch sous Ramsès XI. Telle est aussi Soushannah dont le nom a été formé sur *shoshan* le lis, mot emprunté à l'égyptien *sšn* le nénuphar blanc communément appelé: le lis des étangs [4]. Par contre il faut renoncer, semble-t-il, à trouver une origine égyptienne au nom de la sœur de Moïse et d'Aaron, Myriam (*Ex.*, XV, 20-21; *Nom.*, XIX, 1 ; XX, 1) qui a été rapproché de *mryt*, participe féminin de *mry*, aimer. La transcription de *mry'Jmn* aimé d'Amon, en babylonien Maï-amama et en grec *Μιαμουν* prouve que le *r* avait été assimilé.

Après l'Exode, les relations entre Israël et l'Egypte ont été pour longtemps interrompues; du moins elles n'ont pas laissé de trace dans les textes. Cependant de grands ennemis d'Israël

[1] Pap. Anastasi, I, 18, 2 et pap. Salt, 124.
[2] *J.E.A.*, XV, 255.
[3] Gardiner, dans *Journ. of amer. or. soc.*, LVI, 192.
[4] *Ibid.*, 189-190.

vont bientôt affronter les Egyptiens, ce sont les Philistins qui participeront à la furieuse attaque des peuples de la mer. Ils subiront de grandes pertes et laisseront nombre d'entre eux aux mains des soldats de Ramsès II (fig. 4). Toutefois les Egyptiens ne pourront empêcher les Philistins d'occuper les villes côtières de Canaan d'où il leur sera loisible d'inquiéter les négociants égyptiens qui allaient acheter du bois à Byblos.

Les Philistins étaient de grands gaillards qui portaient comme les Cananéens et, ce qui est plus curieux, comme le dieu Seth de Ramsès (fig. 8), un pagne orné de glands. Ils se protégeaient la tête au moyen d'un casque surmonté d'un diadème hérissé de plumes. La Bible et les documents égyptiens suggèrent l'idée que les Philistins avaient rapidement adopté le genre de vie des Cananéens.

CHAPITRE III

DE DAVID A JÉRÉMIE

Les fils d'Israël, après que les Egyptiens eurent renoncé à les poursuivre, ont pu circuler dans le désert, franchir le Jourdain, conquérir la Palestine et fonder un royaume sans que leurs anciens persécuteurs réagissent le moins du monde. Merenptah, dans la seconde partie de son règne, semble être resté inactif. Les derniers rois de la dynastie n'ont pas fait grand bruit. Il n'en fut pas de même de Ramsès III qui régna de 1198 à 1166, mais ce roi eut fort à faire pour s'opposer à deux invasions libyennes et à l'attaque des peuples de la mer. Au cours d'une campagne en Syrie, il s'empara de plusieurs places fortes mais ces succès n'eurent pas de lendemain [1]. Après lui des Egyptiens paraîtront de temps à autre en Syrie et en Palestine, mais ils ont cessé d'être des maîtres redoutés [2].

C'est dans la Bible que nous trouvons un premier fait intéressant le royaume d'Israël et l'Egypte. Un ennemi de David, Hadad, qui avait échappé au massacre des Edomites, passa en Egypte avec ses serviteurs et des hommes de Paran (I *Rois*, IX, 115). Pharaon l'accueillit avec faveur et lui donna pour femme une sœur de sa propre femme, la grande dame

[1] Sur Ramsès III en Palestine: VAN DE WALLE, art. *Inscriptions égyptiennes*, *Dictionnaire de la Bible*, suppl. XIX, 448-449.

[2] Les envoyés de Ramsès IX à Byblos y furent retenus contre leur gré (LEFEBVRE, *Romans et Contes*, 217.

Takhpenès. Le fils qui naquit de ce mariage fut élevé à la cour. Hadad, quand il apprit la mort de David, demanda à retourner dans son pays et régna sur Edom. Pharaon n'est encore désigné que par son titre, mais nous avons un repère chronologique, puisque David mourut en 980, après un règne d'environ quarante années. Cette histoire s'est donc passée pendant la seconde partie de la XXIe dynastie qui dura de 1085 à 950. Fondée avant le règne de Saül, elle prenait fin à la mort de Salomon.

Au lendemain de la guerre des Impurs [1] qui avait causé beaucoup de ruines et de misères, la XXIe dynastie eut une tâche difficile. Son fondateur Smendès [2] rétablit l'ordre, édifia sur les ruines d'Avaris et de Pi- Ramsès une nouvelle résidence, Tanis, et renoua, non sans subir quelques affronts, des relations avec Byblos. Son successeur Psousennès acheva la reconstruction de Tanis [3]. Son long règne ne nous paraît pas meublé de beaucoup d'événements [4]. Il se qualifie cependant de véritable preneur de villes [5]. Il pratiqua lui aussi la politique de mariage qui avait été la règle pour les rois de la XVIIIe dynastie et pour Ramsès II, en épousant une princesse assyrienne, Napalté, fille du vizir Ibishshi-ilu [6].

Le cinquième roi de cette dynastie, Siamen, fut probablement un contemporain de David. Les documents que nous avons de ce roi concernent surtout ses constructions et fondations dans le pays de Kêmi [7]. Cependant un fragment de bas-relief que j'ai découvert à Tanis, près du tombeau d'Osorkon II [8] se rapporte à une expédition guerrière. Le roi y est représenté,

[1] P. M., *Drame d'Avaris*, ch. V.
[2] Smendès était un descendant des Ramsès qui avait abandonné le parti de Seth pour prendre celui d'Amon (M. M., *Psousennès*, 178-179).
[3] *Ibid.*, 14-27.
[4] *Ibid.*, 9-14.
[5] *Ibid.*, 75, n° 714.
[6] *Ibid.*, 139-143.
[7] Gauthier, *L. d. R.*, III, 298.
[8] M. M., *Osorkon*, II, pl. IX.

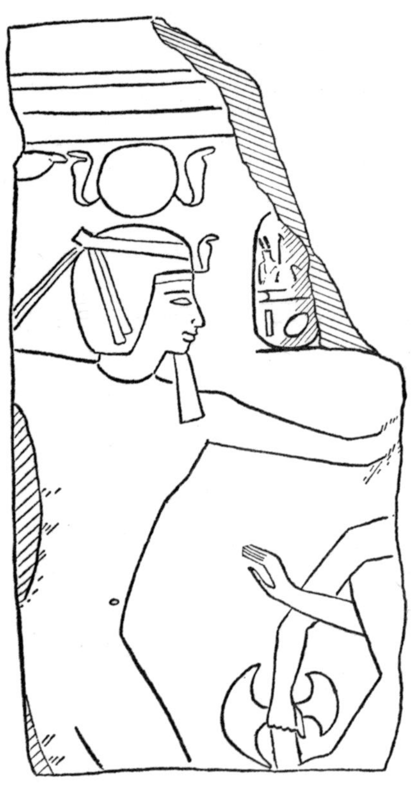

Fig. 5. Siamen massacrant un Philistin.

comme tant de ses prédécesseurs, en train d'assommer d'un coup de massue l'ennemi qu'il a saisi par les cheveux. Ce n'est hélas, qu'un fragment (fig. 5). Le texte explicatif a complètement disparu et l'ennemi est fort endommagé. Il tenait à la main, conformément aux règles suivies pour ce genre de monument, une arme ou un objet caractéristique de son peuple, mais cet objet assez énigmatique ne ressemble pas aux armes et ustensiles qui se trouvent dans les mains des vaincus syriens, libyens ou nègres [1]. Je l'ai comparé à la hache double souvent représentée sur des monuments mycéniens [2] et j'ai supposé que le vaincu était un Philistin [3]. On admettra provisoirement que Siamen s'est heurté aux Philistins sur la côte palestinienne et que peut-être il se proposait de marcher contre Israël.

[1] *Kêmi*, VI, 50-52.
[2] DUSSAUD, *Les civilisations préhelléniques dans le bassin de la mer Egée*, 2e éd., 340, fig. 247.
[3] P. M., *Drame d'Avaris*, 196.

Le nom de la reine Takhpenès devrait se trouver soit au Livre des Rois, soit dans le Dictionnaire des noms propres de Ranke. Cette enquête se révèle assez décevante. Nous n'avons, écrivait H. Gauthier en 1914, aucun renseignement sur la famille de Siamen [1]. Nous ne sommes pas plus avancés aujourd'hui. Ce nom, d'après le dernier traducteur de la Bible, M. Ed. Dhorme, rappelle celui de la ville égyptienne de Takhpankhès dont il sera parlé au chapitre suivant [2]. Cette ressemblance est tout extérieure, car en égyptien les noms de ville ne sont jamais appliqués tels quels à des femmes. Essayons donc en partant de *Takhpenès* de remonter à un original égyptien, sans oublier que ח peut correspondre aussi bien à *ḥ* qu'à *ḫ* et que *ḫ* donne souvent en copte un *ch* [3]. On estimera sans doute qu'il n'y a pas très loin de Takhpenès à Tapechenis et « la part d'Isis », nommée sur une statue égyptienne du Musée du Caire attribuable à la XXIe dynastie : la statue 741 [4]. La métathèse *khp* au lieu de *pch* n'a rien de surprenant, ni l'emploi d'un ח pour rendre un *ch* égyptien, dont la prononciation était peu éloignée de celle d'un ח. Cette Tapecheniset était la femme d'un grand chef des Mâ, abréviation de Mâchaoucha, Libyens, et l'on observera que la Bible ne donne pas à Tachpenès le titre de reine, mais seulement de grande dame. Dans la seconde partie de la XXIe dynastie les grands chefs de Mâ sont déjà de très importants personnages en attendant que l'un d'eux prenne possession du trône d'Horus [5]. Il est parfaitement possible que le grand-père ou l'arrière-grand-père de Chechanq Ier ait fait pour l'ennemi de David

[1] GAUTHIER, *L. d. R.*, III, 298.
[2] DHORME, *La Bible*, I, 1080, n° 19.
[3] K. SETHE, *Das aeg. Verbum*, I, 152-153.
[4] P. M. *Drame d'Avaris*, 192-198. Dans la version des Septante Takhpenès devient Thekemina que GRESELOFF, *Ann. Serv.*, XLVII, 215, considère, à tort sans doute, comme une transcription de *Ta hmt nswt*, la femme du roi.
[5] Ce titre ne comporte pas l'article.
Sur les grands chefs des Ma (chaoucha), voir ED. MEYER, *Geschichte der Altertum*, II, 30, et DRIOTON-VANDIER, *Egypte* (coll. « Clio »), 3e éd., 523.

ce que Chechanq Ier fera pour l'ennemi de Salomon et de Jéroboam, Roboam, et qu'il ait conseillé ou même imposé à un Pharaon qui pourrait être Siamen d'accueillir Hadad. La haine d'Israël semble avoir été héréditaire dans cette famille.

Un peu plus tard se produit dans la politique égyptienne un revirement qui ne saurait nous surprendre. Salomon devient le gendre de Pharaon, roi d'Egypte (I *Rois*, III, 1). Il amena la princesse à la cité de David. Elle lui apportait en dot la ville de Gezer dont Pharaon s'était emparé. Il l'avait détruite par le feu après avoir tué le Cananéen qui l'habitait. Nous avons l'avantage de savoir que ce mariage a eu lieu entre 980 et 950 et plutôt au début du règne. A ce moment le trône de Pharaon était occupé par un nouveau Psousennès sur qui nous n'avons que très peu de renseignements. On ne lui connaît qu'une fille, Makarê, qui épousa Osorkon Ier désireux de rattacher sa dynastie à la précédente [1]. C'est sans doute une sœur aînée de cette princesse qui fut épousée par Salomon. Psousennès II s'est-il emparé de Gezer ? Aucun document égyptien ne l'établit formellement, mais nous sommes en droit de penser que Gezer ayant été prise quelques années plus tôt par Siamen, Psousennès II incapable de garder cette conquête la donna en dot à la femme de Salomon.

En accueillant Jéroboam, ennemi de Salomon (I *Rois*, XI, 40), Chechanq Ier préludait à la grande attaque contre Jérusalem que nous connaissons par I *Rois*, XIV, 25, et II *Chroniques*, XII, 2, 9-11. L'an 5 de Roboam correspond à la fin du règne de Chechanq Ier qui régna, à ce que l'on croit, pendant vingt et un ans. L'armée d'invasion comprenait des chars et des cavaliers que suivait une foule de Libyens, de Soukkiyens et d'Ethiopiens. Nous ne savons d'où venaient les Soukkiyens. La présence des Ethiopiens dans l'armée de Pharaon n'a rien

[1] Inscription de la statue du prince Chechanq, fils d'Osorkon Ier et de Makarê, MASPERO, *Les momies royales dans Miss. fr.* I, 734-735.

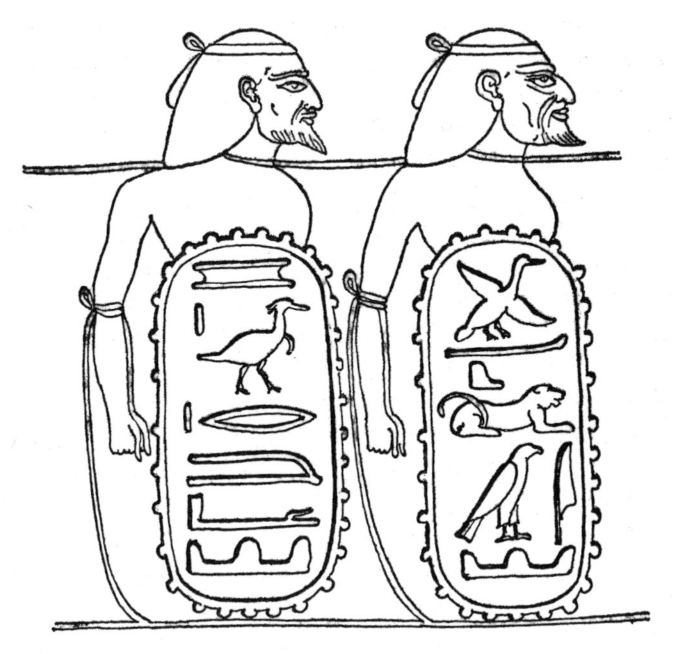

Fig. 6. Deux villes de Palestine conquises par Chechanq Ier.

de surprenant et moins encore celle des Libyens, puisque Chéchanq Ier se connaissait un ancêtre Tehenou et qu'il avait été grand chef des Mâ avant son couronnement. Les Libyens avaient déjà contracté avec l'Egypte et maintiendront jusqu'à Amasis une véritable alliance offensive et défensive [1]. Si le roi Chéchanq a raconté, comme il est probable, cet événement dans une stèle, le document est perdu. Toutefois on peut toujours consulter à Karnak, sur la façade méridionale du second pylône, le grand bas-relief qui représente Amon offrant au roi 155 villes dont les noms sont contenus dans des

[1] Des Libyens faisaient partie de l'armée de Tefnakht (Piankhi, 11). A l'appel des Libyens, une armée égyptienne sous Apriès alla attaquer le roi de Cyrène (Hérodote, IV, 159).

cartouches crénelés [1]. Le nom de Jérusalem qui fait défaut se trouvait sans doute dans la partie disparue. Beaucoup de noms sont orthographiés d'une façon barbare et difficiles à identifier. Très intéressante est la mention du champ d'Abraham (fig. 6) [2]. Quand l'on compare cette liste à celles laissées par les rois du Nouvel Empire, on est obligé de reconnaître que Chechanq Ier est loin d'avoir renouvelé leurs exploits. Il avait d'ailleurs préparé soigneusement son expédition, car une pierre portant son nom a été trouvée à Mageddo [3] où avait vécu sous la XIIe dynastie le marchand de bestiaux Thouty-hotep. Il avait envoyé sa statue au roi de Byblos, Abibaal qui la déposa dans le temple de la Dame de Byblos après avoir entouré les cartouches pharaoniques d'une inscription en écriture phénicienne [4]. Il pouvait donc considérer Abibaal comme un allié.

Deux bracelets en or et pierres calibrées ayant appartenu à Chechanq Ier sont parvenus jusqu'à nous. Ils ont été trouvés à Tanis sur la momie de Chechanq II qui les possédait par héritage (pl. V) [5]. Nous n'avons pu nous empêcher de penser qu'ils avaient été faits au moyen de l'or pris dans le temple de Jérusalem.

Le roi Asa qui régna de 911 à 870 repoussa victorieusement l'attaque de l'Ethiopien Zerach (II *Chron.*, XIV, rien dans le Livre des Rois). Asa a pu connaître Osorkon Ier, Takelot Ier et peut-être même Osorkon II à ses débuts. Osorkon Ier [6] et Osorkon II [7] ont, comme Chechanq Ier, envoyé leur statue

[1] LEPSIUS, *Denkmäler*, III, 252-253. Selon NOTH, *Die Shoshenkliste* (*Zeitschr. d. deutsch Palästina Vereins*, 1933), Chechanq ne serait pas entré à Jérusalem.
[2] LEPSIUS, *Denkmäler*, III, 252.
[3] FISCHER, *The excavations of Ormagesson*, Chicago, *Or. Inst. Comm.*, IV, 12-16; cf. VAN DE WALLE, art. *Inscriptions égyptiennes*, *Dictionnaire de la Bible*, suppl. fasc. 474.
[4] P. M., *Byblos et l'Egypte*, nº 31.
[5] P. M., *Psousennès*, nºs 226-227, planche en couleurs.
[6] P. M., *Byblos et l'Egypte*, nº 26-30.
[7] DUNAND, *Fouilles de Byblos*, nº 1741.

en hommage à la Dame de Byblos. Cela ne prouve pas qu'ils aient participé à la tentative de Zerach. Cependant il est peu probable que cet Ethiopien ait pu faire passer des troupes en Palestine sans s'être mis d'accord avec Pharaon.

La longue période qui va du règne d'Osorkon II à la conquête de l'Egypte par Cambyse est marquée par de grands désordres, des revers et des renaissances rappelant les plus beaux jours des Amenophis et des Ramsès. Cette même période fut cruelle pour le royaume de Juda, auquel l'Egypte apporta surtout des souffrances et des déceptions.

Le roi d'Assur avait prévenu Ezéchias (II *Rois*, XVIII, 21) que l'Egypte est un roseau brisé qui, si quelqu'un s'appuie sur lui, pénètre en sa main et la transperce. Cela se passait probablement sous le roi Bocchoris. A ce jugement sévère font écho les prophètes :

« Les princes de Tsoan (Tanis) (pl. VI) ne sont que des insensés.

» Les sages conseillers de Pharaon forment un conseil stupide » (*Es*. XIX, 11).

« Les princes de Noph (Memphis) sont dans l'illusion » (*Es*. XIX, 13).

L'Egypte leur paraît dans une situation désespérée. Voici comment Jérémie (XLVI, 25) fait parler Iahvé :

« Voici, je vais châtier Amon de No, Pharaon, l'Egypte, ses dieux et ses rois, Pharaon et ceux qui se confient à lui. »

« Malheur donc, avait dit *Esaïe* (XXX, 1-2), aux enfants rebelles qui font des alliances sans ma volonté, qui descendent en Egypte sans me consulter pour se réfugier sous la protection de Pharaon et chercher un abri sous l'ombre de l'Egyptien. »

« ... Le secours de l'Egypte n'est que vanité et néant. C'est pourquoi j'appelle cela du bruit qui n'aboutit à rien » (*Es*. XXX, 7).

« Qu'as-tu à faire sur la route de l'Egypte pour aller boire l'eau du Nil », dit encore *Jérémie*, II, 18.

Nombreux étaient, malgré ces avertissements, ceux qui se réfugièrent en Egypte à l'époque du terrible Nabuchodonosor : « Alors tout le peuple du plus petit jusqu'au plus grand et les chefs d'armée se levèrent et entrèrent en Egypte, car ils avaient peur des Chaldéens » (II *Rois*, XXV, 26).

Les prophètes sont obligés de le reconnaître (*Jér.*, XLIV, 16-17) et Jérémie qui avait si éloquemment prédit la honte et le malheur à ceux qui allaient en Egypte finit par y être entraîné (*Jér.*, XLIII, 6-7).

Du côté égyptien les documents sont rares et discrets. Lorsque Osée eut été battu par Salmanazar V [1], il eut (d'après II *Rois*, XVIII, 3) la fâcheuse idée d'envoyer des messages au roi d'Egypte Sewe. Ce nom est inconnu au Livre des Rois. Ce sont les Annales de Sargon qui nous révèlent que Sewe était un simple général. Il n'y avait pas alors de véritable Pharaon [2].

Aucun document en langue égyptienne ne mentionne l'entreprise de Sennachérib en 701 qui fut arrêtée par un ange (II *Rois*, XIX, 35 et II *Chron.*, XXXII, 21). Hérodote raconte cette histoire à sa façon. Le roi d'Egypte en ce temps-là était un prêtre de Ptah du nom de Sethos. Abandonné par ses troupes il alla à Péluse accompagné de boutiquiers et de gens du commun. Le dieu Ptah répandit dans la campagne une multitude de rats, si bien que les ennemis prirent la fuite et périrent en grand nombre [3]. Les modernes expliquent prosaïquement que la fuite de Sennachérib fut causée par une épidémie.

[1] Ed. Dhorme, *La Bible*, I, 1203, 4-6.

[2] Le règne de Salmanazar V, 726-712, correspond à une période très obscure pour nous de l'histoire égyptienne. Tefnakht, prince de Saïs s'efforçait d'agrandir ses Etats et Piankhi ayant conquis l'Egypte moins le nord du Delta, s'était retiré au sud.

[3] Hérodote II, 141.

Le règne de Néchao, deuxième du nom (609-594) [1] fut certainement un règne glorieux, bien que la défaite de Karkemisch lui ait fait perdre d'un seul coup ses conquêtes en Asie. Il se trouve que ses grandes entreprises, campagnes en Asie, creusement du canal de la mer Rouge, tour de l'Afrique, sont surtout connues par la Bible, par Hérodote et Diodore. Cependant un fragment architectural trouvé à Sidon et des empreintes trouvées à Karkemisch sont des traces indiscutables de la présence des Egyptiens au temps de Néchao dans ces deux villes.

Sourd aux avertissements du prophète Jérémie, Joakhim resta fidèle à l'alliance égyptienne (II *Rois*, XXIII, 34-35). Il semble bien que Néchao opéra après la défaite de Karkemisch une sorte de rétablissement. Il fut en effet victorieux à Magdôlos et s'empara de Cadytis [2]. Le dernier éditeur d'Hérodote et d'autres savants estiment que Magdôlos est une erreur et qu'il faut comprendre Mageddo. Il n'y a rien à corriger. Magdolos correspond certainement à l'une des *Mktr*, châteaux forts de type syrien qui existaient en Egypte même et sur la route militaire de Silé à Hébron [3], vraisemblablement à ce dernier. Cadytis correspond à Gaza que Pharaon frappa ainsi que l'avait prédit le prophète Jérémie (XLVII, 1) lorsqu'il parla sur les Philistins.

Un successeur de Néchao est encore nommé dans *Jérémie*, XLIV, 30; c'est Hophra que Iahvé livrera entre les mains de ses ennemis, de ceux qui en veulent à sa vie. Il est aisé de reconnaître dans Hophra le Pharaon Ouahib-rê que les Grecs appellent Apriès [4]. Ce roi mena une action contre Tyr et Sidon dont *Jérémie* XLVII, 4, avait prophétisé la ruine [5]. Mais il

[1] J. YOYOTTE, art. *Nechao*, dans le *Dictionnaire de la Bible*, suppl. VI (1958), 368-392.
[2] Hérodote II, 159.
[3] J. E. A. VI, pl. XI.
[4] Hérodode II, 161.
[5] Hérodote IV, 159.

fallait, continue Hérodote, qu'il lui arrivât malheur. Sa perte ne lui vint ni des Sidoniens, ni des Juifs, mais de l'affaire libyenne.

Mais ceci est une autre histoire.

Chapitre IV

LA GÉOGRAPHIE DE L'ÉGYPTE SELON LA BIBLE

Dans les chapitres précédents, nous avons cité quelques contrées et villes égyptiennes. Bien d'autres termes géographiques se rencontrent dans la Bible. Nous nous proposons de les étudier dans ce chapitre en allant du nord au sud de l'Egypte (fig. 7).

1. Masor (II *Rois*, xix, 24) est le nom de l'Egypte que l'on rencontre plus souvent au duel Misrayim. Les Egyptiens nommaient leur pays *Kmt*, Kêmi, la Noire ou *Ta Kmy*, la Terre noire[1]. Ils avaient encore bien d'autres façons de le désigner: *Ta mry*, la terre chérie; *Tawy*, les deux terres; *ìdbwy*, les deux rives, que non seulement l'hébreu, mais toutes les langues sémitiques ignorent de parti pris. Aujourd'hui encore Masr désigne à la fois l'Egypte et sa capitale.

Un autre pays de Mousri est cité dans I *Rois*, x, 28, c'est celui qui fournissait des chevaux et des chars à Salomon. On le situe en Cilicie[2]. D'autres pays, dans l'est Mésopotamien et en Arabie sont qualifiés aussi de Musur. Ils sont tous situés à la périphérie du monde sémitique[3]. En conséquence, on admet que les Sémites ont appelé Musur les pays qu'ils pouvaient considérer comme des marches.

[1] P. M., *Géographie*, I, 4-5.
[2] Ed. Dhorme, *La Bible*, I, 1077, n. 28.
[3] P. Garelli, art. *Musur*, *Dictionnaire de la Bible*, suppl. XXIX, 1468-1474.

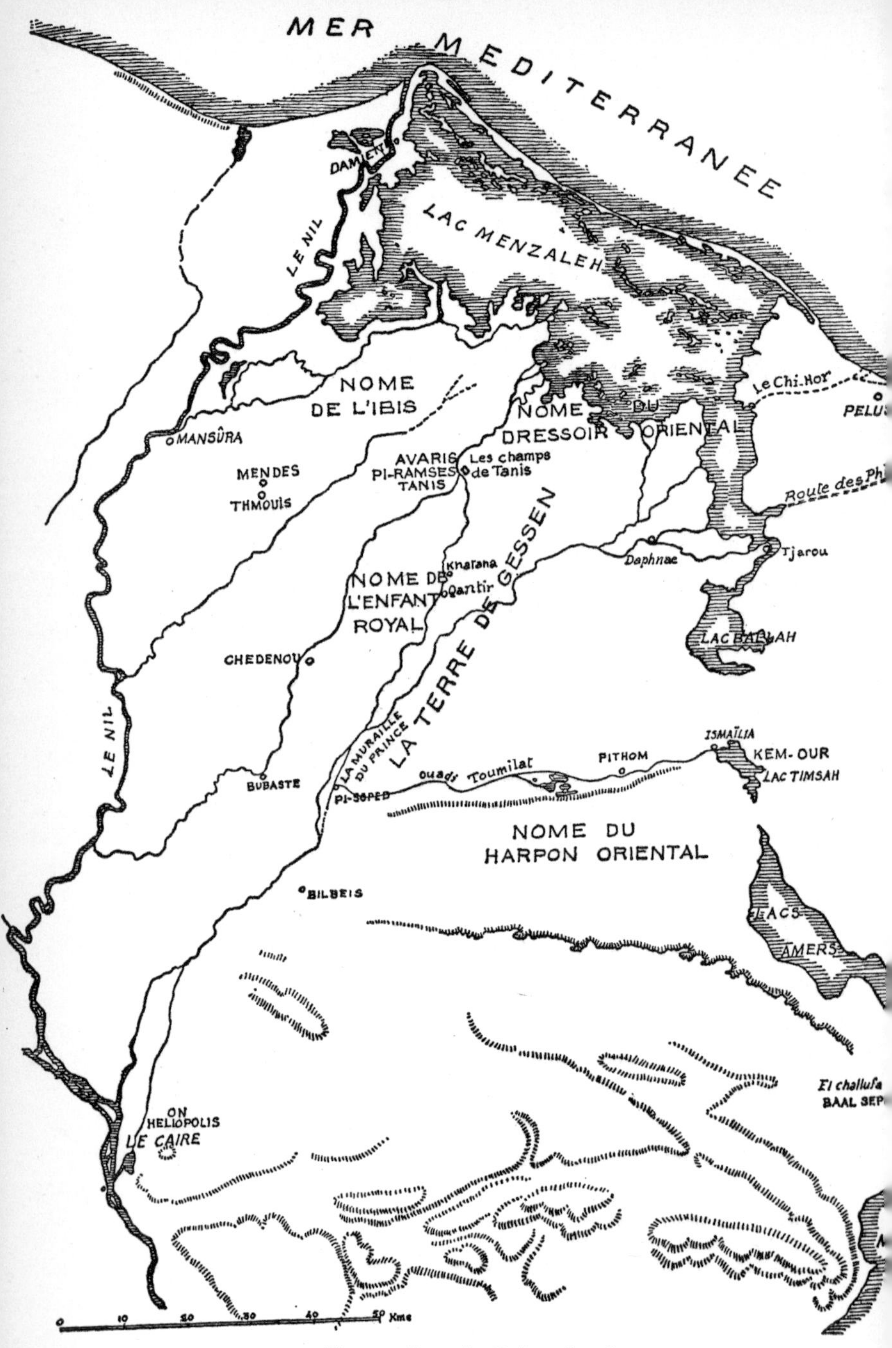

Fig. 7. Carte du Delta oriental.

2. YEOR (*Genèse*, XLI, 1), dans le songe du Pharaon, est le nom du Nil qui correspond exactement à l'égyptien *itrw*, fleuve en général et singulièrement le Nil. Le *t* ne s'est conservé ni en hébreu, ni en copte. En égyptien les formes sans *t* se rencontrent à partir de la XVIIIe dynastie. Ce détail est utile à retenir, ainsi que d'autres indices sur lesquels nous avons attiré l'attention pour dater l'époque où la Bible fut rédigée.

Les Egyptiens appelaient volontiers leur fleuve Hâpy, surtout quand ils le divinisent ou pendant l'inondation, quand il s'étend d'une falaise à l'autre, faisant de chaque ville, de chaque bourgade une île ou un îlot.

3. Le CHI-HOR (I *Chron.*, XIII, 5; *Jos.*, XIII, 3, 5) qui constitue la frontière de l'Egypte se retrouve très exactement dans l'égyptien chi-Hor, littéralement : le bassin d'Horus. C'est le canal où la barque sacrée du nome, le Dressoir oriental, avait son port d'attache [1]. Il arrosait la capitale de ce nome *Tjarw*, Silé, dans la région d'El Kantara et d'autres cités bâties le long de la frontière orientale, Daphnae et Péluse. De ce canal on pouvait atteindre la résidence royale de Pi-Ramsès qui recevait ainsi des roseaux et du sel [2]. Il correspond donc parfaitement au cours inférieur de la branche pélusiaque.

On peut être surpris de ce qu'une branche du Nil soit désignée par une expression qui convient mieux à une large étendue d'eau, mais les noms de la Méditerranée et de la mer Rouge, Yam et Ouadj-our, la Très-verte, désignent certains tronçons du Nil en Haute Egypte. Il est possible d'ailleurs que Chi-Hor ait réellement désigné un lac et par extension la branche du Nil qui le traversait, par exemple le lac Ballah, non loin duquel s'élevaient les villes de Mesen et de Tjarou et le poste des Chemins d'Horus.

[1] P. M., *Géographie*, I, 200.
[2] P. M., *Drame d'Avaris*, 117-118.

4. SIN (*Ex.*, XXX, 15), *Σαϊν* dans la Septante et Pelusium dans la Vulgate. « Je répandrai, dit le Prophète, ma fureur sur Sin, la forteresse de l'Egypte ». Péluse est aussi considérée chez des auteurs grecs comme la porte de l'Egypte [1]. A Sin correspond l'égyptien *Snw* qui est l'un des cinq vignobles de la pancarte et qu'un papyrus place à l'extrémité du pays [2].

5. TAKHPANKHÈS est la ville où fut entraîné Jérémie et où de nombreux juifs avaient déjà trouvé asile (*Jérémie*, XLIII, 7-8). La Septante transcrit ce nom *Ταφναι*, qui correspond à la Daphnae pélusienne d'Hérodote [3] et au moderne tell Defeneh situé sur la branche pélusiaque, un peu à l'ouest du canal de Suez. Le nom égyptien de cette ville paraît avoir été Tjeben. [4] Le site a été exploré par Fl. Petrie [5]. Les objets découverts ne remontent pas au-delà de l'époque saïte. Les nombreux tessons grecs confirment les données d'Hérodote. Une construction en brique crue est curieusement dénommée le Château de la fille du Juif, en souvenir sans doute de l'émigration juive [6]. *Jérémie*, XLIII, 9, parle d'un four à briques qui est à l'entrée de la maison de Pharaon à Takhpankhès. Le site n'a certainement pas été complètement fouillé et jusqu'à présent on n'y a rien signalé qui puisse être le vestige d'une maison royale. Il est peu probable qu'aucun Pharaon se soit fait construire une résidence à Defeneh, mais Jérémie a peut-être qualifié de maison royale la maison du gouverneur local. Il existe sans doute dans cette ville un souvenir de l'émigration juive. C'est une stèle trouvée à Defeneh qui représente un personnage juché sur un socle pour adorer un dieu coiffé d'une tiare, debout sur

[1] Hérodote II, 141, cf. JOSÈPHE, *Contre Apion*, I, 274, 291.
[2] P. M., *Géographie*, I, 191.
[3] Hérodote II, 30, 154.
[4] P. M., *Géographie*, I, 191.
[5] PETRIE, *Tanis*, II, 47, et pl. XLIII.
[6] *Ibid.*, II, 52-53, et pl. XLIV. Notre mission a découvert à Tanis un monument du même genre : Fougerousse dans MONTET, *Les nouvelles fouilles de Tanis*, ch. III, aussi énigmatique que celui de Defeneh.

un lion. La pleine lune et deux croissants éclairent la scène [1].

Si *Ταφναι* a été transcrit d'après l'égyptien *Tjben*, le nom de Takhpankhès avec ses deux ח demande à être expliqué. En le transcrivant lettre par lettre on obtient une expression très plausible: *Ta ḥwt pa nḥs*, le château du nègre. Aucun lieu ne Egypte à ma connaissance ne s'appelle ainsi. Toutefois cette expression conviendrait très bien à un lieu de culte du dieu Min qui souvent peint en noir mérite d'être appelé Nègre [2]. Or le dieu Min est bien connu dans la région orientale du Delta, à Sân et à Nebeshé. Il est même expressément mentionné sur une stèle trouvée à Defeneh [3].

6. TSOAN est la ville égyptienne de Djâni, *Τανις* en grec, dont les ruines sont au tell de Sân el Hagar. D'après *Nom.*, XIII, 23, Tsoan a été bâtie sept ans après Hébron. Malheureusement, nous ne savons pas quand fut bâtie cette dernière ville. Le nom de Tanis paraît pour la première fois dans le récit d'Ounamon, ce navigateur que Smendès envoya au début de la XXIe dynastie négocier un achat de bois auprès du roi de Byblos Zekerbaal. Sans doute il existe à Sân beaucoup de monuments infiniment plus anciens, mais ils appartiennent à deux villes qui ont précédé Tanis sur le même emplacement: Avaris où résidait le Pharaon qui accueillit Joseph et Pi-Ramsès dont nous parlons plus loin.

Les successeurs de Smendès ont continué à résider à Tanis. Celui qui a le plus contribué à l'embellissement de la cité fut Psousennès dont notre mission a retrouvé le tombeau inviolé. Il avait fait construire, pour mettre à l'abri sa résidence et son tombeau, une puissante enceinte dont toutes les briques portent son estampille [4]. Tanis est restée résidence royale jusqu'à la

[1] W. M. MULLER, *The local semitic god of the biblical Tahpanhes, Egypt. Researches*, 1906, 30-31, et pl. XL.
[2] GAUTHIER, *Les fêtes du dieu Min*, 201-202.
[3] PETRIE, *Tanis*, II, pl. XLII.
[4] M. M., *Psousennès*, 12.

XXVIe dynastie [1]. Les prophètes parlent de ses princes avec mépris (*Es.*, XIX, 11, 13) et l'englobent dans la malédiction générale qu'ils prononcent contre l'Egypte (*Ez.*, XXXIX, 14).

L'expression Shereh-Tsoan (*Psaumes*, VIII, 12, 43) Septante *πεδιον Τανεως* est traduite littéralement de l'égyptien *Sekhet Djâni*, la prairie de Tanis, qui est la forme récente de *Sekhet Djâ*, la prairie du Djâ. Ce dernier mot désigne une forme géographique propre à Tanis, des espaces cultivés protégés par des digues contre l'inondation. La Prairie du Djâ était un dictrict du Dressoir oriental qui contenait déjà Avaris et Pi-Ramsès. Lorsque Smendès fonda sa nouvelle ville, il l'appela *Djâni*, la ville du *djâ* et plus tard la Prairie du Djâ devenait la Prairie de Tanis [2]. Cette prairie fut le théâtre avant l'Exode de grands et prodigieux événements.

7. RAMSÈS est citée deux fois dans la Bible. *Ex.*, I, 11 ; le nouveau roi qui n'avait point connu Joseph fit bâtir les villes de Pithom et de Ramsès pour servir de magasins à Pharaon. Dans *Genèse*, XLVII, 11, la terre concédée aux fils d'Israël, appelée partout ailleurs Gessen est nommée la terre de Ramsès. Cette résidence n'est autre que la résidence fondée par Ramsès II à l'orient du Delta et très fréquemment citée dans les textes égyptiens [3]. Son nom complet est *Pi-Ramsès-Miamoun âa nekhtw*, la demeure de Ramsès aimé d'Amon le grand victorieux, mais il peut s'abréger non seulement par la suppression des épithètes, mais par celle de l'élément *pr*, demeure. Les Egyptiens qui employaient beaucoup d'expressions géographiques composées avec *pr*, demeure, *ḥwt*, château, supprimaient parfois ces mots [4], de même qu'en hébreu on abrège Beit Baal Meon

[1] Le dernier ou l'un des derniers Chechanq avait construit à Tanis un vaste temple et un édifice de jubilé dont notre mission a retrouvé de nombreux blocs. Une stèle de Taharqa (*Kêmi*, X, 37) atteste le rôle éminent de Tanis sous ce règne.

[2] P. M., *Géographie*, I, 201.

[3] *J.E.A.*, V, 127, 179, 242 et X, 93.

[4] Pour les mots composés avec *pr* et *ḥwt*, on peut supprimer soit ce mot, soit son complément : GAUTHIER, *D. G.*, IV, 44-45.

(*Jos.*, XV, 17) en Baal Meon (*Nom.*, XXXII, 18). La suppression de *pr* est de règle lorsque *Pi-Ramsès* est employé à la suite d'un titre : fils royal de Ramsès [1], ou d'un nom divin. Sur des colonnes de granit, sur des socles de statues, sur des bas-reliefs il est dit que le roi est aimé de ces dieux de Ramsès, Seth (fig. 8), Amon, Prâ, Ptah, Toum, Anta, Ouadjit, exactement à la place où l'on dit sur d'autres monuments que le roi est aimé par exemple de Ptah de Memphis ou de Min de Coptos [2]. Chaque exemple de ces dieux, et ils sont nombreux, prouve que nous sommes à Sân sur l'emplacement de Pi-Ramsès ou par abréviation Ramsès.

Plus convaincante serait encore une description du tell de Sân qui contient plus de monuments de Ramsès II et de ses proches successeurs que n'importe quel site de la Basse-Egypte (pl. VII) [3]. Le grand roi avait construit à Pi-Ramsès, comme le fera plus tard son imitateur Ramsès III, des châteaux de jubilé. Nous avons retrouvé à Sân plus d'un vestige de ces châteaux, dont une dalle magnifique longue de six mètres, et dans le caveau de Psousennès un objet mobilier, un réchaud de bronze, qui en vient en droite ligne [4].

De Pi-Ramsès dépendaient Naÿ-Ramsès au bord du canal de Peti qui correspond parfaitement à ce que la Bible appelle une ville de dépôt pour Pharaon [5] et une nécropole, le kher de Ramsès [6]. Les rois de la XIXe dynastie qui reposaient

[1] Les fils royaux de Ramsès sont les gouverneurs de (Pi-)Ramsès, exactement comme les fils royaux de Kouch, d'El Kab et de This gouvernent les territoires ou villes de ce nom. Ils sont choisis dans la famille régnante (XXIIe dynastie) et ne descendent nullement des Ramsès comme on l'a dit parfois (GAUTHIER, *Variétés historiques*, *Ann. Serv.*, XVIII, 245) ; COUROYER, *Rev. bibl.*, LIII (1946), 75-98.

[2] P. M., *Les dieux de Ramsès aimé d'Amon*, dans *Studies presented to F. Ll. Griffith*, Londres (1932), 406. Opinion contraire dans GARDINER, *Tanis and Pi-Ramèsse, a retractation*, *J.E.A.*, XIX (1933), 124, et COUROYER, *Rev. bibl.*, XLV, 150.

[3] P. M., *Les énigmes de Tanis*, Paris (1952), 66, 86, 101.

[4] P. M., *Ecrit à Tanis en 1956*, *Rev. arch.*, 1958, I, 1-20.

[5] *J.E.A.*, V, 188, n° 18.

[6] *Ibid.*, V, 197, n° 38.

Fig. 8. Le dieu Seth de Ramsès (stèle de l'an 400).

dans la Vallée des Rois de Thèbes possédaient dans leur résidence du nord des tombeaux fictifs. Le sarcophage de Merenptah usurpé par Psousennès provient de l'un de ces tombeaux.

Construite pour une durée infinie cette ville fut complètement saccagée pendant la guerre des Impurs. Smendès qui la reconstruisit changea son nom en Tanis. Toutefois son souvenir ne disparut pas du jour au lendemain. Les rois de la XXIIe dynastie instituèrent les fils royaux de Ramsès et parmi les dieux de Ramsès Amon avait encore un clergé à la Basse Epoque [1].

8. PITHOM (*Ex.*, I, 11), autre ville de dépôt construite par Pharaon, est très correctement transcrite de l'égyptien *Pr-'Itm*, maison de Toum, qui est la capitale du Harpon oriental connue sous le nom de *Tkw* Tjékou [2]. Ses vestiges sont au tell el Maskhouta. Le site n'a pas fait l'objet de fouilles systématiques. Les sebhakhin se sont rendus coupables de nombreuses destructions. Ses beaux monuments de pierre sont la parure du jardin des stèles à Ismaïlia. Un sphinx et un monument du Moyen Empire ont été usurpés, le premier par les Hyksos, l'autre par Séti Ier. Un naos et des triades datent de Ramsès II.

Des bâtiments de brique rouge ont été identifiés avec les magasins construits par les fils d'Israël [3]. Mais cette opinion doit être résolument abandonnée.

9. GESSEN (*Gen.*, XLV, 10; XLVI, 28; XLVII, 1; *Ex.*, VIII, 18; IX, 26). La terre de Gessen où Joseph et Pharaon installèrent les fils de Jacob était un vaste territoire propice à l'élevage où la tribu ne cessa de prospérer. Elle touchait à la résidence du roi qui accueillit les émigrants, Avaris, et aussi à celle du roi persécuteur, Pi-Ramsès, situées au même point. C'est pourquoi le chroniqueur écrivant sans doute longtemps après l'Exode a écrit une fois terre de Ramsès au lieu de terre de Gessen.

Vers le sud la terre de Gessen s'étendait sans doute jusqu'à Pithom et vers l'ouest jusqu'à la ville qui lui a donné son nom *Gsm* Gesem.

Ce nom apparaît pour la première fois dans un hymne où il est dit que Sanousrit III est le rempart de cuivre de Gesem [4].

[1] *Kêmi*, VII, 143, 157.
[2] P. M., *Géographie*, I, 213.
[3] PETRIE, *Tanis*, I, pl. 16.
[4] GRIFFITH, *The Petrie papyri*, pl. II, 2, 14.

Il faut comprendre : le rempart solide comme le cuivre qui est à Gesem et non en cuivre de Gesem. Ce rempart n'est autre que le fameux Mur du Prince construit par Amenemhat Ier à la lisière des terrains cultivés [1]. La situation de *Gsm* est précisée par le naos de Nectanebo Ier trouvé à Saft el Henné. Pour honorer son père Soped, seigneur de l'Orient, ce roi s'est rendu à *Gsmt* afin de contempler ce dieu auguste en sa place et a dressé la statue de ce dieu de *Gsm* dans ce naos [2]. Au temple d'Edfou le personnage géographique symbolisant le nome de Soped dit qu'il apporte le nome de Soped et la ville de Gesem [3]. De même que Pithom était aussi appelée Tjekou, la capitale du nome de Soped dont les ruines sont à Saft el Henné avait deux noms : Pi-Soped, demeure de Soped et Gesem.

Une difficulté très sérieuse vient de ce que le signe initial peut être lu de deux façons différentes *g* et *ches*. Le signe *g* (V, 33 de la liste de Gardiner) qui représente un sac, plein et les deux bouts inégaux, et le signe *ches* (V, 6 de la même liste), un bout de corde, vide avec les deux bouts égaux, très dissemblables sur les inscriptions monumentales, se confondent en hiératique et dans beaucoup d'inscriptions hiéroglyphiques [4]. A la lecture *Gsm* préconisée par Brugsch [5], Gardiner [6] et Newberry [7] ont préféré la lecture *chesm*, *chesmt*. Il est incontestable que le dieu Soped est aussi le seigneur d'une contrée du Sinaï appelée *Ta chesmt*, la terre du minéral *chesmt*, probablement

[1] La Muraille du Prince est citée dans le papyrus 1116 B de l'Ermitage (Lefebvre, *Romans et Contes*, 104) et Sinouhé R 42 (Lefebvre, *op. cit.*, 7) ; Posener, *Littérature et politique dans l'Egypte de la XIIe dynastie*, 54-57, place cet ouvrage dans le Ouadi Toumilat, mais plus à l'est, vers Pithom, Lefebvre (*op. cit.*, 7, no 20) le plaçait, comme nous-même, à l'entrée du Ouadi.

[2] Naville, *Goshen*, pl. VI.

[3] Chassinat, *Le Temple d'Edfou*, VI, 42. Texte analogue à Dendara : Duemichen, *Geogr. Insch.*, III, 25.

[4] A. H. Gardiner, *Eg. Gram.*, 2e éd., p. 523, V, 6.

[5] Brugsch, *Die Götter des nomos Arabias*, *Z.A.S.*, XIX (1881), 15-18.

[6] A. H. Gardiner, *The supposed egyptian equivalent of the name of Goshen*, *J.E.A.*, V. 218.

[7] Newberry, *Ssmt*, *Studies for F. Ll. Griffith*, 321.

la malachite. On a donc supposé que le nom de *chesm* ou *chesmt* a été donné à Pi-Soped parce que les caravanes qui allaient exploiter la malachite au Sinaï partaient de ce point. Intéressante, mais invérifiable hypothèse à laquelle il faut bien recourir si l'on choisit la lecture *chesmt*. Mais si l'on choisit de lire *Gsm*, on tombe en pays de connaissance et l'on ne peut douter, comme l'avait pensé Brugsch le premier, que ce *Gsm* soit la forme originale de Gesem de la Septante.

Nous obtenons pour délimiter la terre de Gessen un troisième point Pi-Soped. La muraille du Prince, solide comme le cuivre, édifiée un peu à l'est de cette ville, isolait la terre de Gessen de l'Egypte propre [1].

10. LES ÉTAPES DE L'EXODE.

La meilleure route pour aller en Syrie était celle qui partait de Tjarou, chef-lieu du Dressoir oriental et qui est jalonnée jusqu'à Pa-Canaan par des forteresses construites au voisinage des principaux points d'eau [2]. La prendre eût été une véritable folie, car elle était surveillée même en temps de paix. C'est cette route qui a vu défiler les armées de Thoutmose III, de Séti Ier et de Ramsès II. Et d'ailleurs Elohim avait suggéré aux fils d'Israël de ne pas prendre la route des Philistins bien qu'elle fût proche, mais de prendre la route du désert de la mer des joncs (*Ex.*, XIII, 17-18).

C'est cette dernière route que prenaient d'instinct les fugitifs. Deux exemples sont connus. Tout d'abord Sinouhé, ayant quitté son poste de l'armée de Libye, parvint à gagner la région d'On et passa à l'est de la carrière de grès. Faisant route vers le nord, il se rapprocha de la Muraille du Prince en prenant bien garde de ne pas se montrer aux sentinelles. Marchant de nuit, il atteignit un lieu inconnu appelé Petni sans faire de mauvaises rencontres et arriva complètement

[1] Il est fait allusion à cette muraille dans les récits du naos 2248 d'Ismailia, qui provient de Pi-Soped, *Kêmi*, VI, 28.

[2] GARDINER, *The ancient military road between Egypt and Palestin*, *J.E.A.*, VI, 99.

épuisé dans une île de la Très Noire, le lac Timsah, où il fut secouru [1].

L'autre exemple est le rapport d'un officier de police de Tjekou (Pithom) chargé sous Séti II de poursuivre deux esclaves fugitifs :

« De la grande salle du palais royal V.S.F. (à Pi-Ramsès) j'ai été envoyé le troisième mois de l'été, le 9 au soir, à la poursuite de deux esclaves. Je suis donc parvenu à la clôture de Tjekou le troisième mois, le 10. On me dit qu'ils avaient été signalés comme ayant passé au sud, le 10. Alors je parvins à la forteresse (*khetem*) et l'on me dit qu'un courrier était venu du désert en disant qu'ils avaient passé la Muraille, au nord du migdol de Seti-Merenptah V.S.F. aimé comme Seth. Quand cette lettre vous parviendra, informez-moi de tout ce qui sera arrivé à leur sujet. »

Le mot *sgr*, qui correspond à l'hébreu *segor*, désigne une sorte de château qui ne se confond ni avec *khetem*, forteresse de type purement égyptien, ni avec le migdol qui est un bâtiment de type syrien à l'instar de la porte fortifiée de Medinet-Habou. Ces trois établissements qui existaient dans la région de Tjekou ne peuvent être exactement placés sur la carte. La comparaison avec les étapes des fils d'Israël sera donc plus théorique que pratique.

La première étape des fils d'Israël (*Nom.*, XXXIII, 3-5; *Ex.*, XII, 37), RAMSÈS-SOUKHOTH, fait penser invinciblement à la distance que le gendarme égyptien parcourut en une nuit du palais royal à la clôture de Tjekou. Certains ont même rapproché Soukkoth de *Tjekw* [2]. Mais ce rapprochement n'est pas satisfaisant au point de vue phonétique et l'on voit mal les fils d'Israël se rendant à Pithom, capitale d'un nome, où siégeait le gouverneur disposant d'une force armée, qui même si elle n'était

[1] Sinouhe R, 40-50, LEFEBVRE, *Romans et Contes*, 7-8.
[2] Pap. Anastasi, V, XIX, 6-20; cf. *J.E.A.*, X, 89 et P. M., *Drame d'Avaris*, 150.

pas assez nombreuse pour les arrêter, était capable de donner l'alarme. Le nom commun *soukhoth* qui, en hébreu, signifie huttes, tabernacles pourrait être comparé à certaines expressions géographiques égyptiennes formées avec *ta wḥyt*, la tribu, *ta ỉh*, le campement, qui s'emploient à l'ouest d'Ahnas dans une région fréquentée par les nomades. Soukhoth pourrait être un campement entouré d'une barrière et correspondre au *sgr* de *Tjekw*.

Etham que les fils d'Israël atteignirent ensuite se trouvait à l'extrémité du désert (*Ex.*,XIII, 20) et pourrait correspondre au *khetem*. Bien que la comparaison des deux mots ne soit pas pleinement satisfaisante, je préfère encore ce rapprochement à celui que suggère M. Ed. Dhorme avec le dieu Atoum, car le nom de *Pr-ỉtm* est très bien transcrit dans *Ex.*, I, 11, Pithom[1].

Parvenus à ce khetem, les fils d'Israël n'avaient plus, semble-t-il, qu'à continuer leur marche dans le désert. Cependant d'après *Nom.*, XXXIII, 7, ils revinrent sur PIHAKHIROT qui est en face de BAAL-SEPHON et campèrent devant MIGDOL, mais c'est de Pihakhirot qu'ils partirent pour traverser la MER DE JONC. D'après *Ex.*, XIV, 2, ils n'ont campé qu'à un seul endroit, Pihakhirot avant d'atteindre la mer. Les deux autres noms ne servent qu'à préciser la situation de Pihakhirot entre Migdol et la mer, en face de Baal-Sephon.

Il est tentant d'identifier Migdol d'une part avec le migdol de Seti-Merenptah et de l'autre avec la ville mentionnée dans *Jérémie*, XLIV, 1 ; XLVI, 14; *Ex.*, XXIX, 10; XXX, 6, où se rassemblaient non loin de la frontière les Juifs qui fuyaient leur pays, mais faute de tout vestige archéologique, la position de ce migdol est incertaine. On ne peut même pas affirmer qu'il n'y ait eu qu'un seul migdol dans la région.

Baal-Sephon est un dieu connu des Egyptiens; il en est question dans un texte sur les merveilles de Memphis où il

[1] ED. DHORME, *La Bible*, I, 213.

avait un temple [1], et dans une stèle trouvée à Ugarit [2]. En principe un nom de dieu n'est pas un nom géographique, mais rien n'empêche d'admettre que le nom complet était Beith Baal Sephon et que le premier élément a été supprimé, comme dans Ramsès.

Pour situer cette demeure de Baal-Sephon, nous n'avons qu'un indice bien frêle, c'est l'une des deux stèles trouvées par Clédat au Gebel Chalouf [3]. Sur une face, Ramsès II fait ses dévotions à Soped seigneur de l'orient. Sur la face opposée qui est très fruste il honorait peut-être Baal-Sephon car le nom de Baal se lit au début d'une ligne dans l'inscription qui constituait le commentaire de la scène (fig. 9).

Il n'est pas impossible que Pihakhirot, abrégé parfois en Khirot, soit une transcription quelque peu fantaisiste de *Pr Ḥwt-Ḥr*, demeure d'Hathor. Une ville de ce nom est citée dans l'éloge de Pi-Ramsès composé par le scribe Pabasa [4] et dans la stèle de Nitocris [5]. Elle fournissait, paraît-il des papyrus. On ne dispose pour la localisation que d'un indice très faible, la découverte près du Gebel Chadouf d'un petit édifice contenant deux exemples du nom de la Dame des turquoises [6]. Mais l'on peut mettre sur les rangs *Ḥwt Ḥwt-Ḥr*, château d'Hathor, situé dans le territoire agricole du nome [7], et *Pr ḳrḥt* cité dans la stèle de Pithom [8] et même *Pkhartî* sur la route de Pi-Soped à Memphis [9].

La mer des Joncs, *Yam Suph*, citée pour la première fois dans *Ex.*, x, 19, rappelle aux égyptologues *Pa twfy*, qui désigne

[1] Pap. Sallier, IV, nº 1, 6; *Bibl. aegyptiaca*, VII, 89.
[2] *Syria*, 1937, pl. VI, et *Kêmi*, VII, 182.
[3] *Kêmi*, VII, pl. XX. Un lac poissonneux de la région porte un nom composé avec Baal (*J.E.A.*, V, 185).
[4] Pap. Anastasi, III, 3, 3; *Bibl. aegyptiaca*, VII, 23.
[5] L. 25 dans *Z.A.S.*, XXXV, 18.
[6] CLÉDAT, *Notes sur l'Isthme de Suez*, *B.I.F.A.O.*, XVI, 208-212, 219.
[7] CHASSINAT, *Dendera*, I, 125.
[8] P. M., *Géographie*, I, 216.
[9] *Kêmi*, VI, 14.

Fig. 9. Mention du dieu Baal sur une stèle de Ramsès II au gebel Chalouf.

une agglomération située entre Tanis et Tjarou et un canal qui charriait des papyrus tandis que le Chi-Hor transportait des roseaux [1]. Les Egyptiens opposent souvent un nom du nord à un nom du sud. Chi-Hor qui se jette dans la Méditerranée pourrait donc s'opposer au canal du Jonc prenant naissance dans la mer des Joncs.

[1] P. M., *Géographie*, I, 200.

Les résultats de notre enquête risquent de paraître décevants à nos lecteurs. La région de l'isthme est en effet pauvre en monuments anciens et ceux qui subsistent sont en piètre état. Des villes qui furent peuplées ont complètement disparu. Des découvertes archéologiques viendront peut-être améliorer nos connaissances. Un papyrus en cours de publication [1] au moment où j'écris ces lignes, le papyrus Jumilhac, nous apporte sur une région des plus mal connues antérieurement des informations inespérées. Un texte de ce genre qui porterait sur la région que parcoururent les fils d'Israël serait assurément le bienvenu.

11. Pi-Beseth (*Ez.* xxx, 17) correspond à *Pr. Bastt* en grec *Βουβαστις*, demeure de Bastit. La forme ancienne était *Bast* d'où l'on a tiré *Bastt*, la déesse Bastit, celle de Bast et *Pr-Bastt*.

12. On (*Gen.*, XLV, 45 et XLVI, 20) est la patrie du beau-père de Joseph. Son nom égyptien *ỉwnw* a donné en copte *Ôn*. Ezéchiel l'a englobé avec Pi-Beseth dans une malédiction qui n'épargne pas Noph (*Ez.* XIX, 13; *Jér.* XLVI, 14) où l'on reconnaît *Mnnfr* Men-nofé, *Μεμφις*, amputé de l'élément initial. Le *r* final n'était plus prononcé. La capitale du nord comprenait une multitude d'étrangers auxquels s'ajoutèrent certainement les Juifs quand vinrent les jours difficiles.

14. Pathros (*Ez.* XXIX, 14, 15), copte *Ptorès*, est très correctement transcrit de *pa to rsy*, la terre du sud, la Haute Egypte appelée aussi *to chemâ*.

15. Hanes (*Es.*, XXX, 4) est une ville importante de la Moyenne Egypte *Ḥwt Nn-Sw*, le château des Enfants du jonc qui a donné *Hininsi* en assyrien, *Hnès* en copte et Ahnas en arabe, qui fut atteint par l'émigration juive.

16. No (*Jér.*, XLVI, 25; *Ez.*, XXX, 14, 16) n'est pas autre chose que Thèbes que l'on appelait aussi *Nỉwt 'Imn*, la ville

[1] Par J. Vandier, à paraître prochainement.

PL. V. Bracelets de Chechanq Ier. *p. 44* (*Psousennès*, pl. XXIX.)

PL. VI. Masque et cartonnage d'un prince de Tanis, Chechanq II, petit-fils de Chechanq Ier. *p. 45* (*Psousennès*, pl. XXI.)

d'Amon, *Nìwt rst*, la ville du sud et tout simplement *Nìwt*, la ville [1].

17. SOUEN (*Ez.*, XXIX, 10; XXX, 6) est Syène, dans le premier nome de la Haute Egypte, en face de l'île d'Eléphantine où s'installa une colonie juive aux environs de 630 [2].

La liste des noms égyptiens géographiques cités dans la Bible est strictement limitée aux événements qui intéressent Israël, l'installation des fils de Jacob, la persécution et l'Exode et enfin l'émigration à partir de l'invasion assyrienne.

[1] K. SETHE, *Amun und die acht Urgötter von Hermopolis*, Berlin (1929), 1-2.
[2] A. VINCENT, *La religion des Judéo-Araméens d'Eléphantine*, Paris (1937).

SECONDE PARTIE

Faits de civilisation

Chapitre premier

CHOSES D'ÉGYPTE DANS LA BIBLE

Pharaon et l'administration

Le Pharaon de la Genèse est un maître paternel. On l'approche sans difficulté et ses audiences n'ont rien de solennel. Ses songes le préoccupent. Il accepte et même sollicite des conseils. Avec cela très capable de s'emporter contre ses serviteurs. On ne nous dit pas pourquoi demeurant impitoyable avec l'un il pardonne à l'autre, peut-être pour des motifs très légers et relevant de l'appréciation personnelle, ou peut-être parce que des règles sacrées avaient été enfreintes. Il n'est en somme pas très différent du Pharaon que nous voyons tout au long du papyrus Westcar, Chéops, écoutant des histoires, puis préoccupé de l'avenir à la suite d'une prédiction [1]. Le conte de Sinouhé nous présente un Pharaon beaucoup plus imposant. Ne l'approche pas qui veut. Ceux qui bénéficient d'une convocation se font reconnaître au palais et le moment venu sont introduits tout tremblants par les princes devant le roi; ils doivent s'aplatir sur le sol, ne se relèvent et ne parlent que sur un ordre exprès [2].

Sous la XVIIIe dynastie le cérémonial de la cour reste très imposant. Une peinture de cette époque représente le

[1] G. Lefebvre, *Romans et Contes*, 74.
[2] *Ibid.*, 21-23.

Fig. 10. Une audience royale sous la XVIIIe dynastie.

prince Khamouas reçu par Amenhotep III (fig. 10)[1]. Le prince est debout sur le sol, son placet à la main, inclinant légèrement le buste. Pharaon paré comme une idole, ses insignes dans les mains, est assis sur un trône dans un kiosque de bois doré isolé du sol par une estrade; mais le grand Ramsès semble avoir été plus abordable, du moins lorsqu'il habitait sa résidence favorite, car le scribe Pabasa, dans son éloge de Pi-Ramsès, note que les gens se tiennent devant leur porte le jour de l'entrée d'Ousirmarê et que tout le monde est égal pour lui dire sa requête... Le petit y est comme le grand[2]. C'est exactement ce qui s'est passé lorsque Moïse osa aborder Pharaon après que Iahvé lui eut dit: « Va-t-en vers Pharaon, ce matin; voici qu'il sortira vers les eaux, tu te tiendras par devant lui sur le bord du Nil... tu lui diras... (*Ex.*, VII, 15-16).

Fig. 11. Un échanson royal en campagne.

L'entourage du roi qui accueillit Joseph comprend des eunuques, des échansons, des panetiers. Au sujet de ces deux dernières catégories aucune objection. De nombreux officiers de bouche, brasseurs, boulangers, confiseurs étaient au service de Pharaon et lui confectionnaient des pains et des friandises dont la recette est d'ailleurs mal connue. Un fonctionnaire spécial se tenait derrière Pharaon quand il prenait son repas. On l'appelle tantôt *wdpw*, mot que l'on peut traduire échanson, tantôt *wba nsw*, valet du roi. Parmi les officiers d'ordonnance qui accompagnent Ramsès III dans ses expéditions, l'homme

[1] AD. ERMAN, *Aegypten und aeg. Leben*, 57-58.
[2] Pap. Anastasi III, VII, traduction dans P. M., *Drame d'Avaris*, 117.

qui porte un service de deux pièces, carafe et grand gobelet, est sans doute un *wdpw* (fig. 11)[1].

Par contre le dépouillement des nombreux titres qu'on peut relever dans l'entourage de Pharaon ne fournit aucun mot pouvant être traduit par eunuque (saris) et je doute fort qu'un tel emploi ait existé dans les dynasties les mieux connues de l'Ancien, du Moyen, du Nouvel Empire et même de l'époque saïte. Serait-ce un usage particulier à la cour d'Avaris qui a dû présenter un curieux mélange d'usages asiatiques et d'usages égyptiens? On peut l'admettre provisoirement en attendant que les textes apportent là-dessus leur témoignage.

Voici encore un trait plus asiatique qu'égyptien, le supplice du chef des panetiers (*Gen.*, XL, 193). Pharaon, lui dit Joseph, enlèvera ta tête de dessus toi. Il te pendra à un arbre et les oiseaux mangeront ta chair sur toi. En effet, Pharaon le fit pendre (*Gen.*, XL, 22), nous devons sans doute comprendre suspendre, c'est-à-dire empaler. Le lecteur sera surpris d'apprendre que nous sommes mal renseignés sur la façon dont étaient exécutés les condamnés à mort. Les tableaux si fréquents dans les temples qui représentent le roi fracassant avec sa massue les ennemis, ne peuvent en aucune façon s'appliquer aux condamnés de droit commun. Les nombreux papyrus relatifs aux vols dans les tombes nous font seulement assister à l'enquête pendant laquelle les suspects sont bâtonnés de diverses façons, mais les condamnations ne nous sont pas parvenues. Des condamnations à mort furent certainement prononcées après le complot contre Ramsès III, mais on sait seulement qu'elles furent appliquées [2]. Un des contes du papyrus Westcar laisse entrevoir que le condamné à mort avait la

[1] Medinet-Habu, éd. de l'Université de Chicago, pl. XXXVIII et LV. J'ai trouvé dans le tombeau de Psousennès les deux pièces de ce service en or: M. M., *Psousennès*, n° 396-397.

[2] Pap. judiciaire de Turin, DE BUCK, *The judicial papyrus of Turin*, *J.E.A.* XXIII, 152.

tête tranchée [1]. Je ne crois pas qu'ils aient été pendus par le cou, ni empalés comme on le faisait en Syrie.

Le terme de rotonde (*Gen.*, XXXIX, 2), qui désigne la prison où étaient enfermés les prisonniers du roi, n'a pas d'équivalent connu en égyptien. Un bas-relief récemment découvert à Karnak montre un prisonnier dans une cage (fig. 12). On ne peut s'empêcher de penser que Joseph eut bien de la chance de sortir indemne de cette rotonde avec son nez et ses oreilles [2].

Fig. 12. Un prisonnier encagé.

Lorsque Pharaon eut décidé de mettre Joseph au-dessus de toute l'Egypte, il lui donna son cachet, mit le collier d'or à son cou, le vêtit de lin fin et le fit monter sur le second char qui était à lui (*Gen.*, XLI, 42-43). Ici le récit biblique est d'accord avec les textes et la documentation figurée d'Egypte. Voici par exemple comment Nebounnef fut investi de la dignité de premier prophète d'Amon. Ramsès II l'avait distingué bien qu'il ne fût auparavant ni second, ni même quatrième prophète : « Et voici que Sa Majesté lui donna ses deux anneaux d'or et sa canne d'or... On fit partir un messager royal pour faire savoir à toute l'Egypte que la maison d'Amon lui était remise. [3] » Sous le Moyen Empire, les hommes n'ont pas d'autre vêtement que le pagne, mais l'usage des belles

[1] Pap. Wescar, 8, 13 - 9, 1 ; LEFEBVRE, *Romans et Contes*, 85.
[2] L. KEIMER, *Das Bildauer Modell eines Mannes mit abgeschnittener Nase*, *Z.A.S.*, LXXIX, 140.
[3] G. LEFEBVRE, *Histoire des grands prêtres d'Amon de Karnak*, 121.

Fig. 13. Pharaon récompense un serviteur (Louvre C 213).

robes de lin, aussi bien pour les hommes que pour les femmes, s'est répandu au Nouvel Empire. Dans les scènes de récompense qui sont fréquentes à cette époque, Pharaon, du haut du balcon d'apparition, lance des colliers et des pectoraux à des officiers qui les attrapent au vol et les accrochent au cou des personnages qui doivent être honorés. Des serviteurs emportent le surplus (fig. 13) [1].

Le brave Ahmès qui participa aux combats sous Avaris suivait à pied son souverain monté sur un char [2]. Mais les rois d'Avaris ont peut-être possédé une charrerie avant leur

[1] Stèle C 213 du Louvre; Davies, *El Amarna*, I, pl. 25, 30; II, pl. 33, 37; III, pl. 16; IV, pl. 4; *Neferhotep*, pl. 14.
[2] *Urk.*, IV, 3.

adversaire thébain, car il est bien connu que les noms du cheval, des harnais et des parties du char, en égyptien, sont empruntés aux langues sémitiques [1]. Je ne puis m'empêcher de croire cependant que les robes de lin, les chevaux et les chars introduits par le chroniqueur dans l'histoire de Joseph sont des anachronismes, comme la mention de la terre de Ramsès au lieu de Gessen et les noms de particuliers Sapnat, Paneakh et Potipera. Le tableau qu'il présente de la cour d'Avaris comprend plus d'un trait emprunté à l'Egypte des Ramsès. Il n'en est pas moins très précieux pour les égyptologues qui ne disposent pour le temps des Hyksos que d'un bien petit nombre de documents originaux.

Les songes

Le roi qui accueillit Joseph, son échanson et son panetier, ne sont pas les seuls rêveurs attestés en Egypte. Le prince Thoutmose qui n'était pas encore Thoutmose IV, comme il était à la chasse, s'endormit à l'ombre du sphinx. Le dieu lui apparut, se plaignant d'être étouffé par le sable, et lui promit la royauté s'il l'en débarrassait. Le prince obéit et devenu roi n'oublia pas le songe dont il avait été gratifié. Pour l'immortaliser il fit graver et placer entre les pattes du monstre la stèle qui signale son premier désensablement [2]. Un tel songe n'avait pas besoin d'interprète. Mais le roi éthiopien Tentamon se sentit un beau matin fort embarrassé et ne put s'empêcher de conter à son entourage ce qu'il avait vu pendant la nuit : deux serpents, l'un à sa droite l'autre à sa gauche, qui disparurent aussitôt. Les courtisans lui expliquèrent que déjà il possédait la Haute-Egypte et qu'il allait prendre la Basse-Egypte. Ainsi les deux

[1] AD. ERMAN, *Aegypten und aeg. Leben*, 615-616.
[2] MASPERO, *Histoire*, II, 294-295.

déesses brilleraient sur son front et la terre entière serait à lui sans partage [1].

Les Egyptiens du commun rêvaient aussi et se préoccupaient de savoir ce que signifiaient leurs songes. Au Nouvel Empire circulait une sorte de clé des songes qui contenait plusieurs sections, chacune destinée à une catégorie de gens, les suivants d'Horus, les suivants de Seth, qui avaient mauvaise réputation, d'autres peut-être. Le papyrus n'est pas complet. La section des suivants d'Horus seule nous est parvenue intacte [2].

Souvent la clé des songes procède par analogie. Un bon rêve annonce un profit, un mauvais rêve un ennui, grand ou petit. Si le rêveur reçoit du pain blanc, il peut s'attendre à des agréments; s'il boit de la bière chaude, à des pertes de biens. S'il se pique avec une épine, on dira sur lui des mensonges. S'il a les ongles arrachés, il sera frustré du travail de ses bras, chose très commune dans l'ancienne Egypte. S'il est plongé dans le Nil il sera lavé de ses maux. En somme le songe des vaches et celui des épis, celui de l'échanson rentraient dans cette catégorie. Le songe du panetier demandait plus de subtilité, de même que certains rêves mentionnés dans la clé des songes ont des conséquences imprévues. Qui devinerait que piloter un bateau annonce la perte d'un procès?

Le songe du panetier présageait un malheur inévitable. Les songes de la clé sont plutôt des avertissements. Si l'on sait s'y prendre, on échappera aux conséquences fâcheuses que Seth ne manque pas de tirer d'un mauvais rêve. Le songe du Pharaon est aussi un avertissement. La famine est en vue, mais il dépendait d'un gouverneur prévoyant de la rendre moins redoutable.

[1] Stèle du songe, 4-6 dans *Urk.*, III, 62.
[2] Pap. Chester Beaty III; GARDINER, *Hieratic papyri in the Br. Mus.*, 3e série, Londres, 1935.

Mœurs féminines

L'art égyptien donne de la famille une idée sympathique, touchante même, mais la littérature n'est pas tendre pour les femmes qu'elle accuse d'être frivoles, cruelles, menteuses, infidèles. La femme égyptienne, écrit Maspero, ne s'embarrassait pas de complications sentimentales. La vue d'un beau jeune homme lui inspire l'idée nette et précise de l'amour physique et son penchant doit être satisfait sur l'heure[1].

Esclave dans la maison de Putiphar, Joseph apprit à ses dépens à mesurer l'impudeur et la mauvaise foi des femmes égyptiennes (*Gen.*, XXXIX). Or un conte égyptien, le conte des deux frères, dont le manuscrit date de Ramsès II, en fournit un exemple non moins probant[2]. « Couche avec moi », avait dit à Joseph la femme de Putiphar. De même, la femme d'Anoupou dit à son beau-frère : « Viens, passons une heure, couchons-nous. Tu en tireras profit, car je te ferai de beaux vêtements. »

La réaction des deux jeunes gens est exactement la même. « Eh quoi, dit Bataou, tu es pour moi comme une mère, ton mari est pour moi comme un père. » Pour Joseph, l'adultère serait un péché contre Dieu. Ce serait une monstrueuse ingratitude pour l'homme qui ne lui refusa rien de ce qui est dans sa maison, sinon sa femme.

Dans les deux cas, le résultat est pareil. La femme de Putiphar et la femme d'Anoupou attribuent à Joseph et à Bataou leur coupable pensée. Quant aux maris ils sont aussi peu perspicaces l'un que l'autre. Joseph est enfermé dans la rotonde. Plus radical, Anoupou aiguise son couteau et se cache derrière une porte pour surprendre son frère.

[1] MASPERO, *Contes populaires*, XLIII.
[2] LEFEBVRE, *Romans et Contes*, 144-148.

Le chroniqueur aurait-il lu ou entendu cette histoire que connaissaient sans doute tous les scribes de Pi-Ramsès? Il y a bien d'autres femmes coupables dans les contes égyptiens, mais l'histoire de Bataou est celle qui a le plus d'analogie avec celle de Joseph. Au scribe égyptien elle sert de prélude aux aventures qui attendent le héros dans la vallée du Pin. Elle est admirablement à sa place dans l'histoire de Joseph et sans doute ceux qui l'entendaient ou la lisaient étaient-ils tout heureux d'opposer aux méchantes mœurs des Egyptiennes la pureté du jeune Hébreu.

L'épisode de la fille de Pharaon qui descend sur le Nil avec ses suivantes pour se baigner paraît peu vraisemblable aux égyptologues. Sans doute les jeunes filles, princesses ou non, apprenaient de bonne heure à nager (fig. 14) [1], mais une princesse n'avait nul besoin de descendre sur le Nil et de s'exposer aux regards indiscrets ou à l'attaque du crocodile. Il y avait certainement dans le domaine royal des pièces d'eau d'accès facile [2]. Mais il fallait que la princesse vît le berceau qui contenait Moïse enfant.

Les accoucheuses des Hébreux (*Ex.*, I, 17) ne sont pas des femmes égyptiennes, car leurs noms Shifrat et Pouah ne sont pas Egyptiens. Cependant dans ce passage la mention du double siège à l'usage des femmes qui vont accoucher fait penser à l'histoire de Rouddidit délivrée de ses trois enfants par trois déesses déguisées en musiciennes ambulantes. Isis s'est placée devant la femme, Nephtys derrière et Hekat, la troisième, accélérait la naissance probablement par des massages. Trois fois de suite un enfant glissa dans la main d'Isis, ce qui permet de penser que la patiente avait pris place sur un siège d'une forme spéciale [3].

[1] Les nageuses sont au Nouvel Empire un motif très usité. Exemples les cuillères en bois du Louvre, la Patère aux nageuses du caveau d'Oundebaouended (M. M., *Psousennès*, n° 775), la Patère de tell Basta.

[2] Les peintures des tombeaux thébains prouvent qu'une pièce d'eau était ménagée près de l'habitation.

[3] LEFEBVRE, *Romans et Contes*, 86-88.

Fig. 14. La patère aux nageuses.

La corvée de briques

Nous avons vu dans un chapitre précédent que les esclaves, les uns achetés à des marchands, les plus nombreux déportés à la suite d'une expédition militaire, étaient mis par l'Etat à la disposition soit des particuliers soit des temples ou des services publics. Les plus habiles arrivaient à gagner la confiance de leur maître, c'est ce qui est arrivé à Joseph, et à se fondre dans la masse de la population, mais le plus grand nombre et surtout ceux qui étaient employés aux gros travaux étaient durement traités. Un bas-relief du musée de Bologne représente une corvée de nègres encadrée par des scribes et des gendarmes Les premiers semblent occupés à faire l'appel, les seconds lèvent leur bâton ou leur fouet sur ces malheureux (fig. 15) [1].

Bien que les fils d'Israël n'aient pu être assimilés à d'anciens prisonniers de guerre, leur condition ne fut sans doute pas beaucoup meilleure à partir du moment où Pharaon eut décidé de les employer en masse à des travaux de maçonnerie et dans les champs. Ils étaient encadrés par des scribes (*Ex.* v, 14) recrutés dans le peuple d'Israël et par des exacteurs, leurs supérieurs qui étaient sûrement égyptiens puisqu'ils frappent les scribes quand le rendement n'est pas suffisant (*Ex.*, v, 16).

Une peinture du tombeau de Rekhmarê constitue une excellente illustration du récit biblique. Elle a pour titre: « Prisonniers amenés par Sa Majesté pour la construction du temple d'Amon qui font des briques pour bâtir à nouveau le temple de Karnak. [2] »

Il ne faut pas oublier que la demande de brique crue était énorme dans l'ancienne Egypte. Les temples et les tombeaux,

[1] AD. ERMAN, *Aegypten und aegyp. Leben*, pl. 39; BISSING-BRUCKMANN, *Denkmäler*, p. 81 A.
[2] N. de G. DAVIES, *Rekhmarê*, pl. LVIII.

Pl. VII. Un bloc du palais de Ramsès II décoré de têtes de prisonniers, remployé dans la porte monumentale de Tanis. *p. 55* (Cliché Montet)

PL. VIII. Sacrifice de fondation dans une muraille de Tanis. *p. 99* (Cliché Montet)

Fig. 15. Les scribes faisant l'appel des nègres soumis à la corvée (bas-relief de Bologne).

les portes monumentales étaient bâtis en pierre pour mériter leurs noms de temples de millions d'années ou places d'éternité, mais les enceintes des villes, les magasins, écoles, entrepôts, les maisons des particuliers et même les palais royaux étaient en brique. Leurs murs avaient facilement un mètre de large, mais les enceintes des villes, larges de 15 à 18 mètres et assez hautes pour masquer tout ce qui était à l'intérieur, exigeaient des quantités de briques vraiment formidables.

Les travailleurs sont installés à proximité d'une pièce d'eau. Les uns piétinent ou brassent avec une pioche un mélange constitué par du limon et de la paille hachée qu'il faut constamment tenir humide. Quand le mélange est au point, on en porte aux mouleurs une certaine quantité qui sera renouvelée autant de fois qu'il le faudra. Justement un ouvrier vient de retirer son moule et laisse sur le sol une brique calibrée qui séchera bien vite au vent et au soleil. Une fois bonnes à employer, les briques sont mises en équilibre sur les deux plateaux d'une balance et portées au pied du mur en construction. Des surveillants qui n'ont pas oublié leur bâton circulent au milieu du chantier (fig. 16) [1].

Naturellement les fils d'Israël regrettaient le temps où ils faisaient paître leurs troupeaux dans la terre de Gessen, mais leur sort eût été bien pire s'il avait plu au Pharaon de les envoyer tirer des blocs avec les Aperou dans la montagne de Bekhen ou dans les carrières d'Assouan, du moins restaient-ils groupés avec leurs femmes et leurs enfants.

Travaux des champs

Contraints à fabriquer des briques, les fils d'Israël n'étaient pas dispensés de travailler aux champs (*Ex.*, I, 14). Toutefois la Bible ne donne à ce sujet aucune précision excepté dans un seul passage où l'on prouve au peuple qui se plaint d'avoir été entraîné hors d'Egypte qu'il n'avait rien perdu au change. « Le pays où tu vas entrer pour le posséder n'est plus comme le pays d'Egypte d'où vous êtes sorti, dans lequel tu ensemençais tes semences et que tu arrosais à l'aide de ton pied comme un jardin potager » (*Deut.*, XI, 10).

Si le chroniqueur avait développé sa pensée, il aurait dit que la terre promise était arrosée par l'eau du ciel tandis qu'en Egypte, même dans le Delta, les pluies ne suffisent pas à entretenir la végétation. Il faut faire monter l'eau du sous-sol dans d'innombrables rigoles. A partir du Nouvel Empire, les Egyptiens faisaient monter l'eau à l'aide du chadouf mais dans ce travail les pieds ne jouent aucun rôle. Il n'a pas existé à notre connaissance de système élévatoire qui ait été actionné avec les pieds. Je me range donc à l'avis de M. Ed. Dhorme, qui commente ce passage en disant que les pieds servaient à tasser la terre des rigoles par où arrive l'eau d'arrosage.

[1] *Ibid.*, pl. LIX.

Fig. 16. La corvée de briques.

Les semailles demandaient au paysan égyptien un travail beaucoup moins pénible que celui qui était obligatoire dans la plupart des pays anciens. Dès que la terre était sortie de l'eau, selon l'expression pittoresque de l'auteur des Deux frères, on répandait la semence et on l'enfonçait dans la terre humide en y faisant passer un troupeau, ou si la terre avait commencé à sécher, au moyen de la pioche ou de la charrue [1]. Cela fait, jusqu'à la moisson, il n'y avait plus qu'à entretenir et alimenter les canaux d'irrigation.

La famine

La richesse et la fertilité de l'Egypte ont été proverbiales pendant toute l'antiquité. Dans le désert les fils d'Israël ont pensé plus d'une fois au temps où ils rassasiaient leur faim assemblés autour d'un chaudron. Ils disaient : « Qui nous fera manger de la viande? Nous nous souvenons du poisson que nous mangions gratis en Egypte et des concombres et des pastèques et du poireau et des oignons et de l'ail (*Nom.*, XI, 4-5).

[1] P. M., *Vie privée*, 183-192.

Les Egyptiens étaient assurément de gros mangeurs de viande, surtout de viande de bœuf, d'oiseaux et de poissons [1]. Sans doute il était interdit dans certains nomes et dans certaines familles de manger telle espèce de poisson ou même toutes les espèces [2]; mais cette interdiction était loin d'être générale. Les poissons du Nil et ceux des lacs contribuaient largement à l'alimentation surtout des travailleurs. Les fruits, les salades, les légumes complétaient le menu. Les pastèques sont fréquemment représentées dans les monuments égyptiens [3]. L'oignon, dont les ouvriers qui travaillaient aux pyramides ont fait selon Hérodote une énorme consommation [4], paraît quelquefois dans les marchés [5]. Je reconnais que l'ail et le poireau ne sont pas représentés et que l'on n'est pas certain d'avoir identifié leurs noms, mais les témoignages d'Hérodote et de Dioscoride confirment le passage de la Bible en ce qui concerne l'ail [6] et celui de Pline [7] en ce qui concerne le poireau. Lorsque le Naufragé du Conte est arrivé dans son île qu'il croyait déserte, il y a trouvé à profusion une bonne partie de ce que les fils d'Israël regrettaient si amèrement : des figues, des raisins, des fruits de sycomore, de magnifiques légumes de toute espèce, des concombres comme s'ils étaient cultivés et il y avait aussi des poissons et des oiseaux [8].

Ce pays a été pourtant à l'époque de Joseph, sous un roi d'Avaris, en proie à la famine. Les sept vaches maigres qui dévorent les sept vaches grasses et les sept épis desséchés qui anéantissent autant de beaux épis annonçaient sept années de disette pendant lesquelles disparaîtraient les ressources accumulées pendant sept années d'abondance.

[1] P. M., *Vie quotidienne*, 79.
[2] P. M., *Le fruit défendu*, *Kêmi*, XI.
[3] L. Keimer, *Die Gartenpflanzen im alten Aegypten*, 1924, 13-18, 171.
[4] Hérodote, II, 125.
[5] Scène du mastaba de Ptah-Chepses à Abousir.
[6] V. Loret, *L'ail chez les Anciens Egyptiens*, *Sphinx*, 1904, 137.
[7] Pline, *Histoire naturelle*, XXXVI, 12.
[8] Naufragé, 47-53; G. Lefebvre, *Romans et Contes*, Paris 1949, 34.

Une stèle découverte en 1889 dans l'île de Sehel [1] à l'extrémité de l'Egypte fut interprétée immédiatement par l'égyptologue Brugsch comme une version égyptienne du récit biblique [2]. En l'an XVIII du roi Djoser, le constructeur de la pyramide à degrés, au début donc de l'histoire pharaonique, le Nil n'était pas venu à temps pendant une durée de sept ans. Le grain était peu abondant, les épis desséchés. Tout ce qu'on avait à manger était en maigre quantité. Chacun était frustré de son revenu; le vieillard avait le cœur triste; même les courtisans étaient dans le besoin et les temples fermés.

Dans ces pénibles circonstances, Pharaon se plut à interroger un sage, un prêtre d'Imhotep qui se rendit à la ville de Thot pour dérouler les livres saints. Il revint avec d'intéressantes révélations. Le roi fit des offrandes complètes aux dieux et aux déesses d'Eléphantine et alors, pendant qu'il dormait, Khnoum, le dieu de la cataracte, lui apparut et annonça qu'il ferait monter le Nil et qu'il n'y aurait plus à l'avenir d'inondation insuffisante.

La teneur et la portée du songe qui, sur la stèle, est consécutif à la famine au lieu de la précéder, les explications du sage et les conséquences de l'événement ne sont pas semblables. Néanmoins on pourrait admettre que le chroniqueur a emprunté à une légende égyptienne les sept années de famine, l'intervention d'un sage et le songe de Pharaon s'il était sûr que la stèle est antérieure à l'époque du roi d'Avaris. Or personne ne croit plus, depuis Maspero [3], que la stèle ait été gravée à l'époque de Djoser. Ce serait un pieux mensonge imaginé tardivement pour attirer la faveur du roi au sanctuaire de Khnoum. Des commentateurs modernes rejettent l'idée du faux et datent la stèle soit de Ptolémée X [4], soit de Ptolémée V [5]. S'il en

[1] Dernier éditeur: P. BARGUET, *La stèle de la famine à Sehel*, Le Caire 1953.
[2] BRUGSCH, *Die biblischen sieben Jahre der Hungersnoth*, 1891.
[3] MASPERO, *Histoire*, I, 239-242.
[4] SETHE, *Dodekaschoinos*, dans *Untersuchungen*, II, 75.
[5] P. BARGUET, *op. cit.*, 33.

est ainsi, on ne peut plus admettre que le chroniqueur s'est souvenu d'une légende égyptienne. Ce seraient au contraire les prêtres de Khnoum qui auraient connu l'histoire de Joseph par les Juifs d'Eléphantine [1]. Cette conclusion ne s'impose nullement. Sethe, qui date la stèle de Ptolémée X, s'est efforcé de démontrer que ses rédacteurs avaient utilisé et rajeuni un très ancien document datant peut-être de Djoser [2]. M. Barguet rappelle que dans d'autres pays que l'Egypte est attestée la tradition de sept années de famine [3]. On peut étendre à cette tradition ce que Maspero a si bien dit des contes populaires: « Si l'Egypte n'est pas leur pays d'origine, c'est là que ces contes se sont naturalisés le plus anciennement et qu'ils ont pris un sens littéraire. [4] »

Dans ce pays de l'abondance le spectre de la famine ne se laissait jamais oublier. Les récoltes dépendaient de l'inondation et de la bonne répartition des eaux. Une inondation trop brutale était presque aussi néfaste qu'un petit Nil. Quelques canaux que l'on négligeait de curer, réduisaient à peu de chose la récolte d'une province. Les textes grecs et arabes signalent d'épouvantables famines. L'antiquité pharaonique en a connu plus d'une surtout dans les périodes troublées [5].

Un prêtre nommé Heqa-nekhti, qui a vécu dans l'une de ces périodes, écrivait à sa famille:

« Voyez, vous êtes comme un homme qui mangeait à satiété et maintenant a faim jusqu'au moment où il ferme les yeux. Je suis arrivé dans le sud et j'ai amassé pour vous le plus possible de victuailles... Le Nil n'est-il pas très bas?... Ici on

[1] VANDIER, *La famine dans l'Egypte ancienne*, Le Caire 1936, 40-44.
[2] Il existait dans la plupart des grands temples un établissement appelé la maison de vie qui était une sorte de conservatoire des traditions, cf. GARDINER, *The house of life*, *J.E.A.*, XXIV (1938), 157; G. SAUNERON, *Les prêtres de l'ancienne Egypte*, 133. C'est pourquoi beaucoup de textes des temples ptolémaïques ont été rédigés d'après d'anciens rituels.
[3] P. BARGUET, *op. cit.*, 37.
[4] MASPERO, *Contes populaires*, p. LXXII.
[5] VANDIER, *La famine dans l'Egypte ancienne*, Le Caire (1936).

a commencé à manger des hommes et des femmes. Nulle part ailleurs il n'existe des gens à qui soit donnée pareille nourriture. [1] »

Un gouverneur de province, Ankhtifi, apportait un peu auparavant un témoignage du même ordre.

« La Haute-Egypte tout entière mourait de faim, au point que chaque homme en venait à manger ses enfants. [2] »

La guerre civile dite guerre des Impurs qui éclata dans les dernières années de la XXe dynastie amena une famine atroce. Une femme interrogée au tribunal sur la provenance de son argent répond : « Je l'ai eu en échange de blé, l'année des hyènes, quand on avait faim... [3] »

Vraisemblablement il est mort tant de monde cette année-là qu'on n'avait pas le temps d'enterrer les morts que les hyènes venaient dévorer dans les villes et les villages.

L'avertissement de Joseph ne pouvait donc surprendre le Pharaon d'Avaris qui préleva pendant les sept années d'abondance un cinquième de la récolte (*Gen.*, XLI, 34-35). Quand la famine se fut installée dans tout le pays, Joseph ouvrit les dépôts et vendit du blé à l'Egypte (*Gen.*, XLVI, 56).

Les gouverneurs des nomes ne procédaient pas autrement lorsqu'un Nil bas faisait prévoir une maigre récolte. Voici par exemple ce qu'a fait Ankhtifi :

« ... J'ai fait hâter ce blé du sud. Vers le sud il atteignit le pays de Ouaouat et vers le nord la Grande Terre... J'ai accordé un prêt de grain à la Haute-Egypte et j'en ai donné au nord. J'ai fait vivre la maison d'Eléphantine ; j'ai fait vivre la Butte aux Bœufs pendant ces années-là, après que Hefat et Hormer eurent été satisfaites [4].

[1] Lettre publiée par GUNN, *Bull. of the Metrop. Mus. of arc.*, 1922, II, 37 ; cf. VANDIER, *La famine*, 13-14.
[2] VANDIER, *Moalla*, Le Caire, 1950, 210-213, inscr. 10 du tombeau d'Ankhtifi.
[3] Pap. 10052 du Br. Mus. dans E. PEET, *The great tomb robberies of the 20 eg. dyn.*, 152-153.
[4] VANDIER, *Moalla*, 210 ss. Ankhtifi résidait à Hefat, Hormer se trouvait dans le voisinage.

Non seulement Ankhtifi et ses émules répartirent les grains entre tous les administrés, mais ces bons gouverneurs n'abusèrent pas de la situation pour réaliser des profits illicites :

« Je n'ai pas enlevé la fille d'un homme. Je n'ai pas enlevé son champ. [1] »

« Quand un Nil bas s'est produit en l'an XXV, je n'ai pas laissé mon nome affamé. Je lui ai donné du blé du sud et de l'orge. Je n'ai pas laissé se produire la disette jusqu'au retour des grands Nils [2].

» Survinrent des années de famine, je fis labourer tous les champs du nome... Vinrent des années de Nil abondant, maîtresses de blé et d'orge et de toutes choses, je n'écrivis rien sur le registre des impôts. [3] »

Mais Joseph, ministre étranger d'un roi étranger, ne se cache pas d'avoir suivi une tout autre politique (*Gen.*, XLVII, 14). Tout d'abord il fit rentrer dans la maison de Pharaon tout l'argent qui se trouvait en Egypte et au pays de Canaan [4]. Quand il n'y eut plus d'argent il prit les troupeaux de petit et de gros bétail (*Gen.*, XLVII, 17), et après les troupeaux le sol, à l'exception du sol appartenant aux prêtres qu'il ne pouvait acquérir parce qu'un décret de Pharaon l'avait déclaré inaliénable. Puis il fit passer le peuple des campagnes dans les villes.

Il est exact que les domaines des temples ne pouvaient être confisqués par l'Etat, car nous possédons toute une série de décrets protégeant contre les excès de zèle des fonctionnaires le personnel et le temporel des temples [5]. Quant à l'opération

[1] Stèle 20001 du Caire, VANDIER, *La famine*, 106.
[2] Inscription d'Ameni à Beni-Hassan, éd. Newberry, *B. H.*, I, pl. VIII, 1, 19 (VANDIER, *op. cit.*).
[3] Stèle d'un Mentouhotep ; VANDIER, *op. cit.*, 113.
[4] L'autorité du roi d'Avaris, maître d'une large partie de l'Egypte, s'étendait probablement sur le pays de Canaan. Il était d'ailleurs lié par une alliance étroite avec le grand de Retenou, cf. *C.R. Ac. des Insc. & B. L.*, 1956, 158.
[5] Décrets de Coptos et de Memphis Ancien Empire (*Urk.*, I. 274-307). Inscription de Radesieh (*Rec. de trav.*, XIII, 75) et de Nauri (*J.E.A.*, XIII, 193) pour le Nouvel empire.

réalisée par Joseph, elle fut sans doute plus théorique que pratique, car il n'était pas possible d'arracher les cultivateurs à leurs champs. Dans la suite du chapitre XLVII, on apprend que Joseph préleva seulement le cinquième des récoltes, ce qui était encore beaucoup et justifie Kamose quand il déclare que les Egyptiens étaient écrasés d'impôts par les Asiatiques [1].

[1] Tablette Carnavon, I, 4, dans *J.E.A.*, III, 38-39.

Chapitre II

MAGIE ET SUPERSTITION

Le serpent d'Aaron

La magie était pour le commun du peuple un moyen de défense contre la maladie et les accidents, contre les mauvais présages, contre les ennemis. Contre tous les maux, elle offrait des formules, aussi bien pour empêcher le milan de dérober, que pour faire tomber les cheveux d'une rivale [1]. La magie que font intervenir conteurs et romanciers était plus ambitieuse. Le papyrus Westcar connaît des magiciens qui sont capables de remettre en place une tête coupée, de retrouver un objet perdu en mettant la moitié de l'eau du lac sur l'autre moitié, de changer un crocodile de cire en un véritable crocodile qui vient s'emparer d'un coupable et l'entraîne au fond de l'eau [2]. Ce ne sont pourtant que des jeux d'enfant en comparaison des pouvoirs que conférait la lecture d'un livre écrit de la main de Thot : « Si tu récites la première formule tu charmeras le ciel, la terre, le monde de la nuit, les montagnes, les eaux, tu comprendras ce que les oiseaux du ciel et les reptiles disent, tous tant qu'ils sont... Si tu lis la seconde formule, encore que tu sois dans la tombe, tu reprendras la forme que tu avais sur terre. [3] »

[1] P. M., *Vie quotidienne*, 75.
[2] G. Lefebvre, *Romans et contes*, 74-76.
[3] Histoire démotique de Setna-Khamouas dans Maspero, *Contes populaires*, 108.

De même que des scribes, des fonctionnaires défiaient leur collègue de savoir dresser un obélisque, construire une digue, organiser une expédition à l'étranger [1], les magiciens se lançaient des défis, mais la compétition offrait bien plus d'intérêt si elle opposait un étranger et un Egyptien. Une peste d'Ethiopien se présente un jour au palais de Pharaon avec un pli cacheté déclarant que si personne ne peut le lire il sera acquis que l'Egypte ne vaut pas l'Ethiopie [2]. Un sorcier éthiopien s'empare par ses charmes de Pharaon pendant la nuit, le transporte en son pays où il lui fait administrer cinq cents coups de courbache. Il était tout prêt à recommencer. Heureusement un magicien égyptien va au temple de Thot, non seulement empêche l'Ethiopien de renouveler son triste exploit, mais il s'empare du roi des nègres à qui il inflige la peine du talion [3].

Fig. 17. Charmeur de serpents en présence des dieux (scarabée de Tanis).

Au début du conflit entre les fils d'Israël et Pharaon, Aaron et les magiciens d'Egypte font assaut de savoir. Dès qu'Aaron eut changé un bâton en serpent, Pharaon convoqua ses sages et ses sorciers qui en firent autant par leurs sciences occultes, mais le bâton d'Aaron avala leurs bâtons (*Ex.*, VII, 11-12).

Ce miracle était très propre à jeter le trouble et la terreur dans l'esprit du Pharaon. Les serpents étaient à juste titre redoutés dans toute l'Egypte. Les grands serpents qui, avant les temps historiques s'attaquaient aux éléphants et aux lions avaient disparu, mais la minuscule vipère et le terrible cobra

[1] Pap. Anastasi I: A. H. GARDINER, *Eg. hieratic texts*, Leipzig (1911), 14-30.
[2] Deuxième histoire démotique de Setna et de son fils, MASPERO, *Contes populaires*, 139. Ce jeune homme avait su montrer à son père le mauvais riche et le juste démuni de tout traités dans l'Amentit selon leurs mérites.
[3] MASPERO, *Contes populaires*, 143 ss.

faisaient d'incessantes victimes. Comment se défendre contre de tels ennemis sinon par magie? Les amulettes représentant Horus enfant debout sur des crocodiles, tenant dans ses mains des scorpions et des serpents, étaient naturellement très efficaces. Il pouvait être utile de répéter les paroles des dieux qui avaient triomphé de ces animaux. De saints personnages qui s'étaient acquis une grande réputation en protégeant leurs concitoyens, en guérissant ceux qui avaient été mordus ou piqués parvenaient à être utiles même après leur mort. L'un d'eux nommé Djedher fit don au temple de sa ville de sa statue placée sur un socle devant un petit bassin [1]. Des formules éprouvées étaient gravées sur les vêtements et même sur les chairs. Les fidèles puisaient de l'eau, la répandaient sur le saint homme et en buvaient après qu'elle s'était imprégnée de la vertu des formules.

Djedher et ses semblables faisaient de leur vivant ce que faisaient il y a encore peu d'années les charmeurs de serpents si bien étudiés par L. Keimer [2]. Ils n'avaient pas le pouvoir de changer un bâton en serpent, mais c'était un jeu pour eux de changer un serpent en bâton, c'est-à-dire de l'immobiliser raide comme un bâton et au bout de quelque temps de lui rendre sa mobilité et sa nocivité. Sur un scarabée de Tanis, je crois reconnaître un magicien faisant ses tours devant une triade divine (fig. 17) [3]. De nombreux scarabées sont illustrés d'une scène du même genre. Un homme ou un dieu tient dans son poing un serpent droit comme un bâton [4]. On pourrait encore citer les bas-reliefs du temple qui ont pour titre « frapper les veaux ». L'homme qui pousse devant lui quatre veaux de couleurs variées est armé d'un bâton terminé par une tête de

[1] Lacau, *Les statues guérisseuses de l'Ancienne Egypte*, *Monuments Piot*, XXV (1922).
[2] L. Keimer, *Histoires de serpents dans l'Egypte ancienne et moderne*, *Mém. Inst. d'Egypte* (1947).
[3] P. M., *Tanis*, Payot 1922, 219, fig. 63.
[4] L. Keimer, *op. cit.*, 19.

Fig. 18. Le roi conduisant des veaux avec un serpent changé en bâton.

serpent (fig. 18)[1]. Un magicien qui devait s'emparer d'un coffret le trouva gardé par des serpents, des scorpions et des reptiles, mais il les rendit immobiles[2].

Ces textes et ces documents figurés sont principalement d'époque tardive, mais il n'en résulte pas que ces superstitions

[1] BLACKMANN & FAIRMAN, *The Significance of the ceremony hiwt bhsw* (frapper les veaux), *J.E.A.*, XXXV, 98.
[2] Setna, dans MASPERO, *Contes populaires*, 112.

ou ces usages ne se sont développés qu'à la basse époque. Ils sont de tous les temps et le chroniqueur était informé sur ce sujet quand il rédigea l'épisode d'Aaron et les serpents.

Les plaies d'Egypte

Le serpent d'Aaron n'était qu'un prélude. Le cœur de Pharaon s'endurcit et il fut nécessaire de lui infliger de plus grands signes, qui d'ailleurs n'eurent pas beaucoup plus de succès. Ce sont les dix plaies.

La première plaie : les eaux changées en sang, fait penser à un phénomène inoffensif qui se produit pendant l'inondation, le flot pousse d'abord les eaux qui sont restées dans les marais depuis les années précédentes. C'est le Nil vert qui donne des douleurs de vessie. Cependant l'eau, une fois filtrée dans un simple zir, on peut en boire impunément. Après le Nil vert, le Nil rouge. Le ton est si intense, écrit Maspero [1], qu'à certains moments on dirait une coulée de sang fraîchement répandu. Le Nil rouge n'est pas malsain et redevient incolore quand on le décante. Le Nil rouge n'a probablement rien à voir avec la première plaie, que les magiciens d'Egypte ont reproduite à leur tour par leurs sciences occultes (*Ex.*, VII, 22) car le changement d'eau en sang est un motif magique attesté en Egypte même : « Si je suis vaincu, dit un magicien à sa mère pour l'avertir, lorsque tu boiras ou que tu mangeras, l'eau deviendra couleur de sang devant toi, le ciel deviendra couleur de sang devant toi. [2] » On objectera peut-être que l'histoire de Setou nous est connue par un papyrus d'époque ptolémaïque, mais le personnage et les situations appartiennent au Nouvel Empire. Le chroniqueur a pu en avoir connaissance ou entendre une histoire analogue où la coloration de l'eau

[1] MASPERO, *Histoire*, I, 23.
[2] MASPERO, *Contes populaires*, 150.

ou du ciel en rouge, couleur de Seth, annonçait des choses funestes.

Les grenouilles, la vermine et les moucherons constituent la deuxième, la troisième et la quatrième plaie. Des grenouilles en très petit nombre apparaissent quelquefois parmi les hôtes innombrables des marais [1]. Son nom *krr* est une onomatopée [2]. Il existe des amulettes en forme de grenouille [3]. Le dieu Khnoum avait pour compagne une déesse à tête de grenouille [4] qui venait en aide aux femmes en couches. Rien de tout cela n'est effrayant. Si les grenouilles se sont un jour multipliées au point d'être un fléau, les Egyptiens n'ont pas enregistré le fait.

Les petits insectes: puces, pucerons, poux, moustiques et moucherons abondent en Egypte et y sont fort gênants. Les Egyptiens cherchaient à s'en préserver. Pour éloigner ces derniers des augustes visages du souverain et des grands, des serviteurs agitaient des plumes d'autruche emmanchées d'une canne [5]. Les papyrus médicaux recommandent plusieurs moyens de débarrasser la maison de la vermine. On lave les parquets et les parois avec une solution de natron. La graisse de chat est efficace contre les rats, le frai contre les puces. Les Egyptiens étaient vêtus de lin, car ils avaient horreur des vêtements de laine aussi bien pour eux que pour les morts [6]. Ils prenaient grand soin de leur corps, se lavaient, s'épilaient et se frictionnaient plusieurs fois par jour. Ils n'ignoraient pas que les nomades étaient couverts de poux et qu'ils en faisaient leur nourriture [7].

[1] v. BISSING, *Gem-ni-kai*, I, pl. IV.
[2] *W. A. S.*, V, 61. Vocalisé krour, cf. le nom propre babylonien Pakruru.
[3] P. M., *Byblos et l'Egypte*, n° 448 et 449.
[4] Son temple se trouvait dans le XVe nome de la Haute Egypte: LEFEBVRE, *Petosiris*, inscr. 61 et 81; LANZONE, *Dizionario*, II, 852.
[5] AD. ERMAN, *Aeg. und aeg. Leben*, 2e éd, 69.
[6] Sinouhé, B 199; LEFEBVRE, *Romans et Contes*, 17.
[7] P. M., *Vie quotidienne*, 73.

Les sauterelles, huitième plaie, étaient incontestablement un fléau pour l'agriculteur. L'auteur de la satire des métiers ne les oublie pas quand il énumère les calamités qui empêchent le paysan d'être payé de son travail. Ils portaient souvent des amulettes en forme de sauterelle et suppliaient un dieu sauterelle d'éloigner ses congénères [1].

Passons aux épizooties, neuvième plaie, et aux épidémies infantiles, dixième plaie. Les textes égyptiens ne font pas allusion aux premières. Cependant les monarques dans les inscriptions de leurs tombeaux n'omettent pas les efforts qu'ils ont faits pour développer le cheptel. Du sud et de la Libye on faisait venir des troupeaux entiers [2]. A deux reprises au moins des bœufs syriens furent envoyés en Egypte [3]. Ces efforts répétés ne peuvent s'expliquer que parce que des épizooties dévastaient périodiquement les troupeaux de la vallée du Nil.

Un traité de médecine indique le moyen de distinguer l'enfant viable de celui qui est condamné. S'il dit *Ni* il vivra, s'il laisse entendre une sorte de vagissement rappelant la plainte du vent dans une forêt de sapins il mourra [4]. Ailleurs la mère penchée sur son enfant en danger de mort essaie de l'écarter en murmurant :

« Es-tu venue pour baiser cet enfant ?
Je ne permettrai pas que tu le baises.
Es-tu venue pour l'apaiser ?
Je ne permettrai pas que tu l'apaises.
Es-tu venue pour l'enlever ?
Je ne permettrai pas que tu me l'enlèves.

[1] L. KEIMER, dans *Ann. du Serv.*, XXXIII, 100. Toute la bibliographie dans CAMINOS, *Late egyptian Miscellanies*, 248.
[2] P. M., *Les bœufs égyptiens*, *Kêmi*, XIII, 43.
[3] De Mageddo, une fois par Thouty-hotep, cf. BLAKMAN, dans *J.E.A.*, II, 13 et sous Thoutmose III (*Urk.*, IV, 664).
[4] Pap. Ebers, n° 838.

Il mourait sans doute beaucoup d'enfants en bas âge dans l'ancienne Egypte. Pendant les fouilles de Tanis une épidémie en a enlevé en deux ou trois semaines une cinquantaine[1].

Les traités de médecine signalent aussi des maux pouvant être assimilés aux ulcères qui sont la sixième plaie[2].

Voici pour finir deux phénomènes naturels : la grêle, septième plaie, et les ténèbres, neuvième plaie.

Des petits grêlons tombent fréquemment dans le nord du Delta pendant l'hiver et ne font que des dégâts minimes. Il me souvient qu'une fois, le 15 mai 1945, après une chaleur étouffante, des grêlons gros comme des noix sont tombés pendant plus de cinq minutes, hachant les récoltes et blessant bêtes et gens. En 1930, j'aperçus se formant à l'ouest un gros nuage noir comme de l'encre. Quand il fut sur nous, ce qui ne tarda guère, tout le pays était plongé dans l'obscurité et on aurait dit que quelqu'un déversait du ciel sur la terre, la poussière en quantité incroyable. Le phénomène dura vingt minutes et le temps ne redevint normal qu'au bout de deux jours. Tous les ans d'ailleurs le khamsin sévit plusieurs fois, avec plus ou moins de violence, pendant tout le printemps.

Les plaies d'Egypte peuvent donc passer pour la récapitulation de calamités ou d'ennuis qui sans la moindre intervention surnaturelle frappaient les habitants du Delta oriental. Il en était ainsi depuis le temps du dieu et naturellement on pensait que ces phénomènes étaient dus à quelque dieu malfaisant et qu'un magicien suffisamment instruit de son art pouvait les reproduire à volonté. C'est ainsi qu'un magicien éthiopien, pendant que le roi des nègres faisait la sieste, se propose de jeter un charme sur l'Egypte pour obliger le peuple d'Egypte à passer trois jours et trois nuits sans voir la lumière après les

[1] Zaubersprüche, I, 9 - 2, 6 ; cf. LEFEBVRE, *Essai sur la médecine égyptienne de l'époque pharaonique*, 113.

[2] *Ibid.* 193-194 ; le Deutéronome LXXVIII, 27 avertit celui qui n'écoute pas la voix de Iahvé que son dieu le frappera du bouton d'Egypte, de bubons, de gale et de croûtes inguérissables.

ténèbres[1]. S'il n'est pas fait allusion aux autres plaies dans les contes où paraît le magicien, c'est sans doute par hasard. Le chroniqueur n'a fait qu'attribuer à Moïse des tours analogues à ceux dont étaient coutumiers les magiciens d'Egypte.

Les sacrifices de fondation

Le Lévitique interdit à quiconque de faire passer au Moloch un de ses enfants et les prophètes s'indignent de cette coutume qui était de pratique courante au pays de Canaan, où elle est attestée à la fois par l'archéologie et par les textes.

Lorsque Josué prit Jéricho, il fit prononcer un serment en disant: « Maudit soit devant Iahvé l'homme qui se lèvera et rebâtira cette ville de Jéricho. Au prix de son aîné, il en posera les fondements; au prix de son cadet il en érigera la porte (*Jos.*, VI, 26). Cette prophétie s'accomplit lorsque Hul de Bethel rebâtit Jéricho. Au prix de son premier-né Abirim il en posa les fondements et au prix de son cadet Segoub il en érigea la porte (I *Rois*, XVI, 34). Ce fut une grande surprise pour la mission de Tanis de constater que les Egyptiens avaient eux-mêmes pratiqué cette coutume que l'on aurait pu croire inconnue dans la vallée du Nil.

La grande enceinte de Tanis qui a été réparée plus d'une fois n'est certainement pas une construction homogène, mais il est matériellement établi que le mur nord est antérieur au règne de Psousennès. Il peut avoir été construit sous le grand Ramsès. Pendant que l'on dégageait ce mur aux approches de la porte nord, en 1929, nous vîmes apparaître à un mètre de l'angle un squelette allongé dans le sable et un peu plus loin une grande jarre de terre cuite ayant la forme d'un cigare qui contenait un deuxième squelette, celui d'un enfant en bas

[1] MASPERO, *Contes populaires*, 143.

âge [1]. Deux ans plus tard nous trouvions le même dispositif dans l'embrasure de la porte nord, squelette d'adulte ou de grand garçon dans le sable, squelette d'enfant dans une jarre (pl. VIII) [2]. Cette coutume barbare s'est maintenue à Tanis après la guerre des Impurs et le triomphe d'Amon. Lorsque Psousennès fit construire l'enceinte dont toutes les briques sont estampillées à son nom, deux jarres contenant un squelette d'enfant furent déposées, l'une dans l'embrasure de la porte est, l'autre à l'extérieur de cette porte. Une cinquième jarre peut-être encore plus récente a été trouvée dans le temple de l'Est [3].

En dehors de Tanis, il n'y a de sacrifice de fondation que dans le Ouadi Toumilat, lieu de passage pour aller de Palestine en Egypte [4]. Les archéologues en ont constaté dans le pays de Canaan à Mageddo, à Taanak, à Gezer [5]. Malgré les protestations indignées des prophètes, les Israélites fixés en Palestine ont également immolé des enfants et déposé leur corps dans les fondations [6]. Cette coutume a donc été empruntée par les Egyptiens aux Sémites, puisqu'on ne la trouve en Egypte que dans des lieux fréquentés par des Sémites.

Les choses interdites

La notion du fruit défendu est très ancienne et très importante dans l'Egypte pharaonique [7]. Chaque nome, chaque ville même avait ses interdictions qui lui étaient propres et par lesquelles ils se distinguaient des voisins. Ces interdictions

[1] P. M., *Nouvelles fouilles de Tanis* (1932).
[2] *Kêmi*, V, pl. IV et IX.
[3] La jarre posée à l'extérieur de la porte de l'Est et celle du temple de l'Est furent trouvées en 1947.
[4] Fl. Petrie, *Hyksos and israelite cities*, Londres (1906) 22, 29.
[5] Lods, *Israel*, 113-114.
[6] *Ibid.*, 328-329.
[7] P. M., *Le fruit défendu*, *Kêmi*, XI, 85.

concernaient généralement des animaux, mammifères, oiseaux, poissons qu'on ne pouvait ni capturer, ni manger, ni même toucher, parce que le dieu local prend certaines espèces sous sa protection, exemple l'hippopotame dans le Xe nome de la Haute-Egypte; ou, au contraire, parce qu'il se réserve le droit de le chasser et de le tuer: exemple encore l'hippopotame dans le nome d'Edfou. Parfois on se contente d'interdire une partie du corps, celle que l'on offre au dieu. Parfois aussi c'est une chose inanimée qui est interdite, ainsi l'or dans une ville du XIIe nome de la Haute-Egypte, parce que le dieu local, passeur de son état, s'était laissé corrompre par un peu d'or. Ces interdictions et aussi celles qui concernent certaines actions ne sont donc pas inspirées comme celles qui figurent au *Deutéronome* XIV par l'hygiène ou par la morale; mais les gens ne plaisantaient pas à leur sujet [1]. Des rixes et même des batailles sanglantes avaient lieu parce que les habitants d'une ville faisaient irruption chez leurs voisins et tuaient ou mangeaient des animaux qu'il fallait respecter [2].

Cette intolérance était certainement connue de Moïse et c'est pourquoi il demande à Pharaon de laisser les fils d'Israël dans le désert à trois jours de marche, faire un sacrifice à Iahvé. Ils craignaient d'être lapidés par les Egyptiens s'ils faisaient un sacrifice interdit chez eux (*Ex.*, VIII, 22-23) [3]. Ce n'était pas une crainte chimérique. Les Juifs d'Eléphantine l'apprendront à leurs dépens à la fin du Ve siècle. Si les habitants de la cataracte ont fini par détruire le temple de Yaho,

[1] Ainsi pour Israël le porc qui a l'ongle fendu mais ne rumine pas est impur (Deut. XIV, 8). En Egypte le porc est impur parce qu'Horus était devenu aveugle en regardant un porc noir ou mieux Seth qui avait pris cette forme. Les dieux décidèrent que le porc était interdit à Horus et à tous les fidèles d'Horus.

[2] PLUTARQUE, *De Iside et Osiride*, 72.

[3] Dans le Harpon oriental dont la capitale est Pithom, la jambe de devant est chose interdite. La maison royale de Pi-Ramsès avait certainement une liste d'interdictions dont une inscription de Ramsès IV permet de se faire une idée (*Kêmi*, XI, 109).

c'est sans doute parce que la révolte contre la domination perse couvait dans le pays et que les Juifs mercenaires du roi des rois allaient être obligés de la combattre, mais aussi parce que les Juifs sacrifiaient l'agneau pascal dans la région qui avait pour seigneur le dieu bélier Khnoum, protecteur naturel de toute l'espèce ovine [1].

Il était même défendu aux Egyptiens de prendre leurs repas en compagnie de gens qui ne pratiquaient pas les mêmes interdictions. Ainsi s'explique *Gen.*, XLIII, 32, où il est dit que Joseph était servi à part et que ses frères étaient servis à part, parce que les Egyptiens ne peuvent fréquenter les bergers. Lorsque Piankhi eut conquis toute la Haute-Egypte et une partie de la Basse, il ne voulut pas autoriser les princes vaincus à pénétrer dans le palais royal parce qu'ils étaient incirconcis et qu'ils mangeaient du poisson. Seul Nemarot fut reçu au palais parce qu'il était pur et ne mangeait pas de poisson [2]. Après un texte historique citons un passage d'un conte. Lorsque l'envoyé des Ethiopiens vint au palais du Pharaon provoquer les Egyptiens, la réponse ne devait lui être fournie qu'au bout de dix jours. On lui assigna des appartements où il devait se retirer et on lui prépara des saletés à la mode d'Ethiopie [3]. Ces susceptibilités s'exaspéraient quand les rapports devenaient tendus.

[1] AL. VINCENT, *La religion des Judéo-Araméens d'Eléphantine.*
[2] Piankhi, 150-152; *Urk.*, III, 54.
[3] MASPERO, *Contes populaires*, 140.

Chapitre III

PIÉTÉ ET MORALE

Dieu

Les Hébreux se sont-ils rendu compte de la splendeur des monuments égyptiens? On s'est demandé si l'ensemble créé par Salomon, temple de Iahvé, maison du roi, maison de la forêt du Liban ne reproduisait pas dans ses grandes lignes une ville égyptienne avec son enceinte, ses portes monumentales, son temple et le palais dont la façade donne sur la cour du temple. Il est possible que les colonnes avec leurs chapiteaux en forme de lis aient été imitées des colonnes florales des Egyptiens. Mais aucune réponse ne peut être faite à ces questions. La description du temple au premier Livre des Rois ne remplace, hélas, ni les vestiges disparus, ni un document figuré.

La Bible ne mentionne les monuments égyptiens que pour annoncer leur destruction prochaine par le feu (*Jér.*, XLIII, 23), le châtiment d'Amon de No (Thèbes) (*Jér.*, XLVI, 25), celui de Noph (Memphis) dont Iahvé ôtera les vains simulacres (*Ez.*, XXX, 13). Ainsi la piété des Egyptiens qu'Hérodote estimait les plus religieux des hommes [1] ne semble pas avoir frappé les sages d'Israël. On dirait qu'ils n'ont retenu que ce

[1] Hérodote, II, 37.

que le *Deutéronome*, XXIX, 15-16 appelle leurs horreurs et leurs sales idoles. Il y a cependant bien des points communs entre la piété et la morale des Egyptiens et la leur. Nous allons essayer dans ce dernier chapitre de mettre ces analogies en lumière et de rechercher si elles ne s'expliquent pas par les contacts répétés et prolongés que les deux peuples ont eus ensemble.

En apparence, rien de plus opposé que leurs conceptions religieuses. Israël a eu un dieu national que les grands prophètes ont transformé en un dieu universel. Les Egyptiens ont peuplé l'univers d'une multitude de dieux aux formes étranges, monstrueuses ou baroques, dont se sont scandalisés Grecs et Romains. Aucun de ces dieux n'est parvenu à supplanter les autres, malgré quelques tentatives. Le disque aux rayons terminés par des mains est traité dans les hymnes de Tell el Amana comme un dieu unique, qui a créé le ciel et la terre et appelé les êtres par milliers à l'existence, mais il n'est pas établi que la promulgation d'une nouvelle doctrine si passionnément appuyée par le roi ait suffi pour faire disparaître le polythéisme. Celui-ci retrouvait bientôt toute sa puissance. Ramsès III répartit ses largesses entre trois grands dieux principaux: Amon de Thèbes, Ptah de Memphis et Toum d'Onou, mais il n'oublie ni les moindres puissances bien implantées à Nebi, à Coptos, à This, en Abydos, à Khmounnou, à Siout, ni même les dieux de petite renommée qui reçoivent aussi du personnel, du cheptel, des terrains et des biens de consommation [1].

Il n'en est pas moins vrai que la Bible met parfois dans la bouche de Pharaon des propos dignes des grands prophètes.

Ainsi dans *Gen.*, XLI, 38-39, Pharaon, émerveillé des explications de Joseph, dit à ses serviteurs: « Se trouve-t-il un

[1] Cette répartition fait l'objet du papyrus Harris I, *Bibliotheca aegyptiaca*, VII.

homme qui ait en lui, comme celui-ci, l'esprit de Dieu (Elohim)? » Puis Pharaon dit à Joseph: « Puisque Dieu t'a fait connaître tout cela, il n'y a point d'intelligent ni de sage comme toi. » Le roi hyksos n'a pas nommé le seigneur d'Avaris, Seth pour lequel il professait une dévotion si exclusive qu'il songeait à imposer son culte à toute l'Egypte. Le chroniqueur aurait-il fait un emploi abusif du mot Dieu? Nullement, car un tel emploi est bien attesté dans l'ancienne Egypte. Un texte religieux du Moyen Empire parle du dieu qui existe dans l'homme [1]. Le pieux Paheri, gouverneur d'El Kab au début de la XVIIIe dynastie, se flatte de connaître le dieu qui est dans les hommes [2]. Un directeur des greniers a mis Dieu dans son cœur et recouru à sa puissance [3]. De tels exemples prouvent que le chroniqueur fait parler Pharaon dans *Gen.*, XLI comme un véritable Egyptien et qu'il ne lui a nullement prêté le langage hébraïque.

L'emploi du mot *Ntr* Dieu, dans son sens tout à fait général où l'on pourrait attendre le nom d'un dieu particulier, est en réalité très fréquent et se rencontre à toutes les époques, d'abord dans les recueils de maximes, sous l'Ancien Empire dans le Plan des hommes pour Kagemmni [4], dans les maximes de Ptah-hotep [5], au Moyen Empire dans l'enseignement pour Merikarê [6], au Nouvel Empire dans les Maximes d'Ani [7], mais aussi dans des stèles de particuliers où l'éloge du défunt tient, hélas, plus de place que le récit des faits. On nous dit, on nous répète que Dieu sait tout, qu'il peut tout, qu'on ne connaît pas ses desseins, mais qu'on doit le craindre et l'adorer. Selon le chanoine Drioton, qui a recueilli un nombre impressionnant

[1] ERMAN, *Religion égyptienne*, 194, n. 6.
[2] *Urk.*, IV, 119.
[3] Stèle de Turin, n° 156. Dernière édition: Varille dans *B.I.F.A.O.*, LIX, 129.
[4] La fin de ce livre occupe les deux premières pages du pap. Prisse.
[5] E. DÉVAUD, *Les maximes de Ptah-hotep*, Fribourg (1916). Texte seulement.
[6] Pap. 1116 A de l'Ermitage. Traduction et commentaires de SCHARFF, Munich 1936.
[7] Traduction d'ERMAN, *Die Literatur der Aegypter*, Leipzig (1923), 294-302.

de ces maximes, nous aurions là l'expression d'un véritable monothéisme qui se superpose à la dévotion traditionnelle et qui influence même celle-ci [1].

Je crains qu'il n'y ait dans cette doctrine une forte part d'illusion. La langue égyptienne, surtout celle des époques anciennes, n'emploie presque pas l'article, défini ou indéfini. Si donc nous trouvons le mot *ntr* isolé, nous pouvons envisager trois traductions : Dieu, ou un dieu, ou le dieu. Nous ne pourrions adopter la première que si un sage égyptien avait franchement exprimé l'idée qu'il n'y a qu'un seul dieu. Ce n'est pas le cas. Les maximes des sages prouvent au contraire combien le monothéisme était loin de leur pensée. Ptah-hotep dit: « C'est dieu (*ntr*) qui donne l'avancement. [2] » Reprenant la même idée Ani dira : « *Ton* dieu donne la fortune. [3] » Dans une même phrase, Ani ayant recommandé de célébrer la fête de *son* dieu explique que Dieu s'emporte contre celui qui manque à ce devoir [4]. Dans un autre passage Ani invite à prier en silence parce que Dieu interdit les cris dans *sa* demeure [5]. Cette recommandation s'adresse aussi bien à l'habitant de Memphis qui allait adorer Ptah en son temple qu'au fidèle d'Osiris à Bousiris et à Abydos ou au fidèle de Thot à Khmounou. L'emploi de *Ntr* isolé, sans le possessif, n'est donc qu'un artifice de langage qui augmentait la portée des maximes. Je reconnais d'ailleurs que cet artifice n'est possible que parce que la plupart des grands dieux exigeaient de leurs fidèles les mêmes vertus. Chacun pouvait donc, tout en restant attaché au culte de son dieu local et sans nier le moins du monde l'existence d'autres dieux, user d'un langage déjà monothéiste.

[1] Et. Drioton, *La religion égyptienne*, dans l'*Histoire des religions*, dirigée par M. Brillant et R. Aigrain, III, 27.
[2] Ptah-hotep, vers. 229.
[3] Ani, maximes 24-26.
[4] Ani, maxime 2.
[5] Ani, maxime 11.

Ces remarques justifient complètement le chroniqueur d'avoir fait parler le Pharaon d'Avaris comme on l'a vu plus haut. Il sera même permis de penser que Moïse, qu'une princesse égyptienne a élevé comme son fils (*Ex.*, II, 11), qui était très grand au pays d'Egypte aux yeux des serviteurs de Pharaon et aux yeux du peuple (*Ex.*, XI, 3) connaissait et employait les maximes qui avaient cours en terre égyptienne.

S'il est une idée qui revient incessamment dans la Bible, c'est bien que les malheurs d'Israël et aussi les infortunes particulières sont la conséquence de l'impiété. Avec quelques nuances cette idée se retrouve en Egypte où le thème du désordre est repris périodiquement par les scribes dans des termes à peu près identiques. Lorsque l'Ancien Empire se fut disloqué au bout d'un demi-millénaire, les regrets que cet effondrement inspira à un sage de cette période nous sont parvenus, hachés par de nombreuses lacunes sur un papyrus du musée de Leyde [1]:

« Hélas le Nil déborde, mais on ne laboure plus, car chacun dit : Nous ne savons pas ce qui arrivera dans ce pays » (pl. 2, 3).

« Hélas, les femmes sont stériles. On ne conçoit plus Khnoum ne bâtit plus à cause de la condition du pays » (pl. 2, 4).

« Hélas, les morts sont inhumés dans le Nil. L'eau est un tombeau. L'atelier d'embaumement c'est l'eau » (pl. 2, 6).

« Hélas, les cœurs sont violents. La peste court le pays. Le sang est en tout lieu. La mort ne chôme pas » (pl. 2, 5-6).

« Hélas, le vaisseau du sud est à la dérive. Les villes sont détruites, la Haute-Egypte est un désert » (pl. 2, 11).

Le prêtre Neferhotep, dit-on, avait prévu ces troubles dès le temps de Snefrou :

« Ce qui n'était jamais arrivé arrive maintenant. On prend les armes pour le combat parce que le pays vit dans le désordre...

[1] Texte et traduction : A. H. Gardiner, *The admonitions of an eg. sage*, Leipzig (1909).

Chacun assassine l'autre. Je te montre le fils devenu l'ennemi, le frère devenu l'adversaire. Un homme tue son père. [1] »

A son tour, Ramsès III retrace à grands traits les malheurs passés avant de résumer son propre règne :

« La terre d'Egypte allait à la dérive. Chacun avait un adversaire. Il n'y eut plus de chef pendant de nombreuses années jusqu'à ce qu'il vint d'autres temps où l'Egypte était en grands et en cheiks. Chacun assassinait son frère. [2] »

Ne dirait-on pas que Jérémie a eu connaissance de ces écrits ou d'autres semblables quand il prophétise ce qui va se passer en Egypte :

« J'armerai l'Egyptien contre l'Egyptien, frère contre frère, ami contre ami, ville contre ville, royaume contre royaume. »

« Le fleuve deviendra sec et aride. Les canaux, les rivières, les joncs et les roseaux, tout ce qui aura été semé périra ; les pêcheurs gémiront. Ceux qui travaillent le lin et qui lissent les étoffes blanches, les soutiens du pays seront dans l'abattement » (*Jér.*, XIX, 1-10).

Les malheurs publics sont principalement dus au fait que Pharaon a été par la désobéissance de son peuple dans l'impossibilité de remplir son devoir essentiel qui est de construire et de doter les temples, mais tout rentre dans l'ordre lorsque les dieux prenant l'Egypte en pitié établissent comme roi un fils de leur chair [3].

Les conséquences de l'impiété publique ou privée, la nécessité de recourir aux dieux s'expriment encore à la basse époque avec force et netteté [4] :

[1] Pap. 1116 B de l'Ermitage. Traduction A. H. GARDINER, *J.E.A.* I, 100. L'auteur de ces sentences qui a vécu sous la XIIe dynastie les présente comme une prophétie.
[2] Pap. Harris I, 75, 3-4.
[3] *Ibid.*, 75, 6-7.
[4] J. VANDIER, *Le papyrus Jumilhac* (à paraître prochainement), XVII, 26 - XVIII, 21.

« Voici ce qui menace les Egyptiens si ce lieu sacré est privé de ses libations et de ses offrandes pour les fluides divins qui sont là :

» L'inondation est petite dans son trou... Il y aura une année de famine dans tout le pays. Il n'y aura ni arbre de vie ni légume.

» Si l'on n'agit pas justement dans sa ville en tout ce qui concerne son temple, l'insolence des ennemis sera dans tout le pays.

» Si l'on néglige toutes les cérémonies d'Osiris en leur temps dans ce district et toutes les fêtes du calendrier, ce pays sera privé de ses lois, le peuple abandonnera son maître, il n'y aura plus de règlement pour la foule.

» Si l'on ne fait pas toutes les cérémonies d'Osiris en leur temps, il y aura une année d'épidémie. Les Barbares emporteront tout ce qui existe en Egypte, les gens du désert se révolteront contre l'Egypte ; il y aura guerre et rébellion dans tout le pays. On n'obéira plus au roi dans son palais et le pays sera privé de défenseurs. Ouvrez les livres. Lisez les paroles divines et vous serez sage, suivant les plans des dieux. »

Dans ces deux pays également exposés aux catastrophes naturelles et aux entreprises des peuples voisins, les périodes de prospérité sont coupées par des deuils, des périodes d'anarchie et d'invasion et chaque fois c'est l'impiété qui avait causé les maux et c'est un retour à la piété qui les a guéris. Cette explication des faits a pu se présenter spontanément à l'esprit des observateurs dans les deux pays. Toutefois les menaces, les exhortations, les lamentations ont tellement d'expressions communes qu'il est permis de conclure que les sages ici et là avaient connaissance des écrits où les malheurs étaient annoncés en même temps que les remèdes dans leur pays et dans le pays voisin [1].

[1] LANGE, *Prophezeiungen eines aeg. Weisen*, Berlin (1903), et ED. MEYER, *Die Israeliten und ihre Nachbarstämme*, ont soutenu que les livres prophétiques des Egyptiens étaient la source principale du prophétisme hébreu. Cette opinion aventurée semble abandonnée.

Les devoirs de l'homme d'après les anciens sages

Les Egyptiens espéraient que le public en visitant les tombeaux s'abstiendrait de dégrader les images et les inscriptions et réciterait avec ferveur la formule qui leur vaudrait un bon repas dans l'Amenti et, pour l'encourager à accomplir ce rite pieux, n'omettaient pas de rappeler leurs mérites. Ainsi les stèles et les inscriptions murales permettent de dresser un portrait de l'honnête homme. C'est un bon fils, un bon sujet du roi, un homme de bonne fréquentation qui n'attise pas les querelles, mais s'efforce de les apaiser, un homme charitable aussi, car il a donné du pain à l'affamé, de l'eau à qui avait soif, des vêtements au nu et fait passer le Nil à qui n'avait pas de barque. Tel est l'idéal qui devait plus tard inspirer les confessions négatives.

Les Egyptiens avaient l'esprit trop systématique pour n'avoir pas songé de bonne heure à codifier les devoirs de l'homme. Le sage Imhotep qui vivait du temps de Djoser fut sans doute le premier auteur d'une instruction [1] qui fut suivie de beaucoup d'autres. Négligeant les instructions dont il ne subsiste que des fragments, il convient de citer celles qui furent composées sous Snefrou pour Kagemni dont nous n'avons que la fin [2], puis les Maximes de Ptah-hotep, sous Assi, connues par plusieurs manuscrits [3]. La période intermédiaire nous a laissé les instructions composées pour le roi Merikarê par son père le roi Khety [4], le Moyen Empire celles d'Amenemhat Ier [5], d'un inconnu à son fils [6], de Khety fils de Douaouf

[1] Un inventaire des œuvres littéraires égyptiennes, œuvres didactiques, romans et contes a été dressé par G. Posener, *Les richesses inconnues de la littérature égyptienne*, *Rev. d'égyptologie*, VI, 27-48. Imhotep a le numéro 1 (*op. cit.* 31).

[2] *Ibid.*, 31, nº 2.

[3] *Ibid.*, 32, nº 4.

[4] *Ibid.*, 34, nº 10.

[5] *Ibid.*, 37, nº 23.

[6] *Ibid.*, 37, nº 26.

connue sous le nom de Satire des métiers [1], de Sehotepibrê à ses enfants [2]. Du Nouvel Empire, nous avons l'instruction éducative du scribe Any presque complète [3] et une autre instruction éducative d'un nommé Ameny [4], qui est peut-être la réédition d'un vieil écrit. La période postérieure au Nouvel Empire nous a laissé un ouvrage qui est devenu célèbre dès sa publication : l'Enseignement de vie, l'instruction du bonheur, composé par un scribe du cadastre et des grains, Amonemope [5]. Ce personnage a passé une partie de son existence, à une époque que nous ne pouvons préciser, probablement sous la XXIIe dynastie, à méditer dans la capitale du nome de Grande Terre et possédait un cénotaphe en Abydos, mais c'est à Senout dans le nome de Min qu'il avait son tombeau. Il avait épousé une chanteuse de Chou et Tefnout, divinités de This, dont il eut un fils, Hor-est-triomphant, prêtre de Min, à qui l'ouvrage est dédié [6].

Dans cette longue série d'ouvrages nous laisserons de côté ceux qui sont attribués à des Pharaons, ou qui ont surtout pour objet le loyalisme à l'égard du souverain, pour considérer ceux qui ont une portée universelle.

L'Enseignement de Ptah-hotep est, plutôt qu'un traité de morale, une règle de savoir-vivre, où le lecteur apprend comment se comporter avec sa femme, avec les femmes des autres, avec ses supérieurs, si l'on est invité, si l'on a affaire avec un querelleur. Cette sagesse est un peu prosaïque comme l'a fort

[1] *Ibid.*, 36, nº 23.
[2] *Ibid.*, 38, nº 27 A.
[3] *Ibid.*, 42, nº 53.
[4] *Ibid.*, 42, nº 55.
[5] *Ibid.*, 43, nº 58. Br. Mus. pap. 10474. Publié en fac-similé par W. BUDGE, *The admonitions of Ameni-em-apt the son of Ka-nakht*, Londres 1923, 51 p., 14 pl. et en transcription hiéroglyphique par H. O. LANGE, *Das Weisheitsbuch der Amenemope aus dem pap. 10474 des Br. Mus.*, Copenhague 1925.
[6] Les seules indications que l'on ait sur Amonemope sont celles du papyrus qu'un juge aussi compétent qu'A. H. Gardiner se contente de placer entre la XXIe et la XXVIe dynastie.

bien dit Ad. Erman [1], qui tenait par contre l'Instruction éducative du scribe Any pour un des plus charmants ouvrages de la littérature égyptienne [2]. Beaucoup de maximes justifieraient ce jugement, mais nulle plus que celle qui exhorte le lecteur à vénérer et aimer sa mère : « Donne-lui du pain en abondance et porte-la comme elle t'a porté. Elle a eu lourde charge avec toi ; lorsque tu naquis après tes mois, elle te porta encore sur sa nuque et trois ans durant son sein fut dans ta bouche... Elle te mit à l'école et chaque jour elle se tenait là avec du pain et de la bière de sa maison » [3].

Ce passage et beaucoup d'autres que nous pourrions extraire de la littérature sapientiale des Egyptiens ne dépareraient pas celle des Hébreux. Lorsque Moïse dit aux fils d'Israël (*Lév.*, XVIII, 3) : « Ce qui se fait au pays d'Egypte, où vous avez habité, vous ne ferez pas », il montrait un parti-pris indéniable et même, dirons-nous, de l'ingratitude.

La Sagesse d'Amonemope et les Proverbes

A la basse époque, le parallélisme entre la sagesse des Hébreux et celle de l'Egypte est encore plus évident. Le premier éditeur et tous les traducteurs de la Sagesse d'Amonemope [4]

[1] AD. ERMAN, *La religion des Egyptiens*, 192.
[2] *Ibid.*, 192-193.
[3] *Ibid.*, 193.
[4] Il existe de la sagesse d'Amonemope deux traductions complètes, l'une par LANGE (nº 31), l'autre par F. LL. GRIFFITH, *The teaching of Amenophis, the son of Kanakht*, *J.E.A.*, XII, Londres (1926), 191-237 ; toutes deux extrêmement méritoires. Il reste des difficultés, car l'auteur use fréquemment de termes rares et poétiques et de tournures déconcertantes. Dans son commentaire, F. Ll. Griffith ne manque pas de signaler les passages correspondants de la Bible. Sur ces parallèles, voir encore AD. ERMAN, *Eine aeg. Quelle der Sprüche Salomos*, Berlin (1924) et D. C. SIMPSON, *The hebreu Book of Proverbs and the teaching of Amenophis*, *J.E.A.*, XII, 232-239 ; B. GEMSER, *Sprüche Salomos*, 65 ; H. DUESBERG, *Les scribes inspirés*. Introduction aux Livres sapientiaux de la Bible : *Le Livre des Proverbes*, Paris (1938), 465-468 ; H. DUESBERGS et P. AUVRAY, *Le Livre des Proverbes*, Paris (1951), 20.

ont mis l'accent sur les ressemblances qui permettent de rapprocher nombre de maximes égyptiennes des passages du Livre des Proverbes, surtout dans la troisième section: XXII, 17 - XXIV, 22. On dirait parfois que l'un des textes est la traduction de l'autre. Mais cette ressemblance peut s'expliquer de plusieurs manières. Les égyptologues ont admis pour la plupart sans difficulté que l'ouvrage d'Amonemope était la source directe de cette troisième section et leur opinion a entraîné d'autres savants. C'est pourtant un égyptologue, le chanoine Drioton, qui a dernièrement renversé les rôles et soutenu qu'Amonemope avait plagié un ancien ouvrage de la Sagesse israélite dont les extraits se retrouvent au Livre des Proverbes [1].

La chronologie ne permet pas de résoudre le problème. La Bible elle-même attribue à Ezéchias la dernière section des Proverbes (*Prov.*, XXV, 1), mais cette indication n'est pas forcément valable pour les sections antérieures. Quant à Amonemope, nous ne savons de lui que ce qu'il dit dans son préambule. Il a négligé de nommer le Pharaon qui lui a conféré ses fonctions. Ni la langue, ni la paléographie ne permettent d'indiquer une date précise. Un aussi bon juge que Sir Al. H. Gardiner laisse flotter Amonemope entre le début de la XXIe dynastie et l'époque saïte [2].

Le chanoine Drioton s'est proposé de montrer qu'Amonemope parlait hébreu en égyptien. Il n'est pas impossible de relever dans son ouvrage quelques hébraïsmes, moins nombreux qu'on ne l'a dit [3]. Les lettrés ont pu, à une époque

[1] ET. DRIOTON, *Sur la Sagesse d'Amonemope*, Mélanges bibliques André Robert, 254-280.

[2] A. H. GARDINER, *Writing and Literatur*, dans GLANVILLE, *The Legacy of Egypt*, Oxford, 67-70.

[3] On ne peut considérer comme hébraïsme l'expression « chemin de vie » qui figure dans le titre de l'instruction éducative d'Ameny (POSENER, *op. cit.*, n° 55) ni l'expression « donne tes oreilles » que l'on trouve dans les stèles de Semnieh et de Paheri (*Urk.*, IV, 496, 114).

où tant de Juifs se réfugiaient dans le Delta et même en Haute-Egypte, emprunter quelques expressions à la langue de leurs visiteurs, mais il me semble que le fond compte ici plus que la forme et l'on ne peut lire la Sagesse d'Amonemope sans être frappé de son caractère authentiquement égyptien qu'elle ne pourrait posséder au même degré si son auteur avait démarqué un ouvrage étranger. C'est au contraire l'auteur des Proverbes qui, malgré le soin qu'il a pris d'élaguer les nombreuses allusions aux choses d'Egypte dont son modèle est plein, reconnaît sa dépendance dans les premiers versets de la troisième section :

« N'ai-je pas écrit pour toi trente chapitres de conseils et de science ?

» Pour que tu puisses répondre des paroles sûres à qui t'envoie ? »

La Sagesse d'Amonemope est aussi divisée en trente *ḥwt*, chapitres [1]. Mais tandis que cette division chez le sage hébreu n'a pas d'explication plausible, elle avait un sens pour l'auteur égyptien qui mentionne, p. XX, 1, 18, le conseil des Trente, sorte de haute cour de justice. De même que le fidèle en prononçant la confession négative nie successivement avoir commis quarante-deux péchés, parce qu'il y a quarante-deux nomes dont les représentants entouraient Osiris, Amonemope dédie à chacun des trente juges un des chapitres de son ouvrage. Son prélude est d'ailleurs tout à fait conforme aux règles établies par les anciens sages de l'Egypte :

Commencement de l'enseignement de vie
de l'instruction du bonheur
de toutes les règles de...
des usages des courtisans
Pour savoir répondre à la question posée, renvoyer un rapport à

[1] Le mot est attesté déjà dans les textes des pyramides : *W.A.S.*, III, 6.

qui l'a expédiée,
Pour se diriger sur le chemin de la vie...
fait par le préposé au terrain (suivent les autres titres)
Amonemope fils de Kanakht...
pour son fils, le dernier de ses enfants, Harmakherou.

C'est à ce fils que sont plus particulièrement adressés les premiers vers du premier chapitre :

Donne tes oreilles, écoute ce qui est dit,
Donne ton cœur pour l'interpréter.
Il est utile de les mettre en ton cœur,
Malheur à qui les repousse...
Si tu passes ton temps les ayant dans ton cœur
tu trouveras que c'est une bonne affaire.

Or c'est une tradition constante dans l'Egypte ancienne : tous les auteurs de maximes, les rois et les particuliers, s'adressent à leur fils vrai ou supposé. Le vieux Ptah-hotep s'est constitué un bâton de vieillesse et il se propose de lui enseigner la bonne parole qui fait le bonheur de celui qui l'écoute et le malheur de celui qui la transgresse [1].

Obéissant à cette tradition égyptienne, l'auteur des Proverbes nous révèle dès le début le nom de l'auteur : Salomon, fils de David, et le but poursuivi : donner aux simples du discernement, au jeune homme de la connaissance et de la réflexion. « Ecoute, mon fils, poursuit Salomon, l'instruction de ton père. » Ces mots « mon fils » sont au début de plusieurs chapitres, mais le début de la troisième section est pour ainsi dire calqué sur l'exhortation d'Amonemope :

[1] Ptah-hotep, vers 48-50.

Prête l'oreille à mes discours
puis applique ton cœur afin de les connaître,
car il y aura de l'agrément à les garder au-dedans de toi
(*Prov.*, XXII, 17-19)

Les avantages de la sagesse, les conséquences d'une mauvaise conduite sont d'ailleurs exprimés tout au long des Proverbes.

Ayant donc capté de la même manière l'attention de leurs lecteurs, les deux moralistes, l'Egyptien et l'Hébreu, se trouvent d'accord sur le principe général et la plupart de ses applications. Le principe de base, c'est que nous ne sommes pas maîtres de notre destinée. Déjà Ptah-hotep avait écrit : « Ce n'est pas le plan des hommes qui se réalise, c'est la volonté de Dieu. [1] »

A son tour Amonemope dira :

Le succès est dans la main de Dieu (Am., XIV, 1)
Dieu est toujours dans ton succès
et l'homme dans ta misère.
Une chose les mots que disent les hommes,
une chose ce que fait Dieu (Am. XIX, 14-17).

Cette opposition est familière à l'auteur des Proverbes :

Recommande à Iahvé tes œuvres et tes projets se réaliseront
(*Prov.*, XVI, 3).

La dignité du pauvre et de l'infirme ne doit jamais être perdue de vue. Amonemope ne se lasse pas de le répéter :

Mieux vaut la pauvreté de la main de Dieu que des richesses dans un cellier (Am., IX, 5-6).

[1] *Ibid.*, vers 115-116.

Mieux vaut la louange avec l'amour des hommes que des richesses dans le magasin,
Mieux vaut des pains dont le cœur est comblé que des richesses avec des soucis (Am., XVI, 11-14).

Cette pensée inspirera à notre fabuliste le Savetier et le Financier, mais le ton s'élève au chapitre suivant :

Ne te moque pas de l'aveugle, n'insulte pas le nain...
Ne raille pas l'homme qui est dans la main de Dieu
Ne te détourne pas de lui s'il faute.
L'homme est de la terre et de la paille (et Dieu) *est son architecte* (Am., XXIV, 9-14).

Nous reconnaissons là l'homme de la vallée du Nil, où la brique crue faite de limon et de paille était le matériau usuel de la construction. L'auteur des Proverbes n'a pas retenu cette image, mais il fait aussi grand cas de la pauvreté :

La réputation est préférable à de grandes richesses
et la grâce vaut mieux que l'argent et l'or.
Le riche et le pauvre se rencontrent,
Iahvé les a faits l'un et l'autre (Prov., XXII, 1-2).
Mieux vaut peu avec l'honnêteté
Que sans justice d'abondants revenus (*Prov.*, XVI, 8).
Mieux vaut un morceau de pain sec et le repos
Qu'une maison pleine de viande sacrée et la discorde (*Prov.*, XVII, 1).

Cette réflexion commande l'attitude à l'égard des pauvres, surtout celle du juge et du scribe :

Il est aimé de Dieu celui qui respecte le pauvre
Plus que celui qui honore le riche (Am., XXVI, 3-4).

Ne convoite pas le bien du pauvre,
N'aie pas faim de son pain
Le bien du pauvre c'est un bouchon pour le gosier
Il fait un spasme pour le cou (Am., XIV, 5-8).

L'auteur des Proverbes a retenu cette image qu'il applique dans une autre circonstance.

Ne convoite ses mets délicats
Ce serait comme une tempête dans la gorge
Tu vomiras la bouchée à peine avalée (*Prov.*, XXIII, 6-8).

Ce désagrément attend celui qui s'est laissé inviter à contre-cœur par plus riche que lui.

Mais voici un commandement qui semble venir tout droit d'une source égyptienne:

Ne dépouille pas le pauvre parce qu'il est pauvre
et n'accable pas le malheureux à la porte (*Prov.*, XXII, 23).

Le moraliste du Moyen Empire flétrissait déjà la dureté des juges à l'égard des pauvres [1]. L'allusion à la porte, qui a surpris les exégètes, s'explique tout naturellement par la coutume bien attestée en Egypte de rendre la justice à la porte des temples [2].

La rapidité avec laquelle disparaît le bien mal acquis a frappé les deux moralistes:

L'Egyptien:

Si tu acquiers des biens par rapine
Ils ne passeront pas la nuit chez toi.
Au matin ils ne sont plus dans ta maison
Tu vois leur place, mais ils n'y sont pas...

[1] P. M., *Vie quotidienne*, 250-251.
[2] S. SAUNERON, *La justice à la porte des temples*, *B.I.F.A.O.*, LIV, 117.

Ils se sont fait des ailes comme les oies
et se sont envolés au ciel... (Am., IX, 16; X, 4).

L'hébreu:

Ne te tourmente pas pour t'enrichir
Et renonce au gain malhonnête
Fixes-tu les yeux sur lui, il n'est plus là;
Car il sait se faire des ailes
Et comme l'aigle prend son vol vers les cieux (*Prov.*, XXIII, 4-5).

L'analogie est évidente, mais la richesse qui change si vite et si facilement de main suggère à l'Egyptien le vol des oies, à l'Hébreu celui de l'aigle. L'aigle est à peu près inconnu dans l'ancienne Egypte. L'envol du faucon se dit à propos du Pharaon ou des dieux qui abandonnent la terre pour le ciel. Les oies auxquelles pense Amonemope ne sont pas celles que l'on élève dans les fermes, mais les oiseaux migrateurs qui se rassemblaient périodiquement dans la région du Haut-Nil [1]. Comme il le fait en d'autres passages, l'adaptateur hébreu supprime ou modifie le détail spécifiquement égyptien.

Respecter ses parents est une obligation universelle. Amonemope qui écrit pour son fils n'a pas cru nécessaire d'insister tandis que l'auteur des Proverbes ordonne:

Ecoute ton père, lui qui t'a engendré
Et ne méprise pas ta mère quand elle est devenue vieille
(*Prov.*, XXIII, 22).

Il ne serait pas difficile de trouver des expressions analogues dans la littérature égyptienne et nous avons cité plus haut les paroles touchantes que la reconnaissance a inspirées au scribe Any.

[1] G. Lefebvre, *Romans et Contes*, 219.

Amonemope ne dit rien au sujet des corrections que pouvait mériter l'enfant, corrections nécessaires selon *Prov.*, XXIII, 13.

N'épargne pas la correction à l'enfant.
Si tu le frappes de la verge il ne mourra point.

Le bâton jouait un si grand rôle dans l'Egypte ancienne que l'on ne peut supposer que l'enfant ne le sentait pas de temps à autre. L'oreille de l'enfant est sur son dos, dit un scribe grincheux [1]. Dans l'histoire de Chéops et des magiciens une servante est corrigée par son frère [2]. Le mari pouvait battre sa femme, mais sans excès [3]. Quant aux enfants, l'indulgence des parents était poussée très loin, ce qui ne veut pas dire que le père n'usait pas parfois de la baguette [4].

Il faut éviter le contact des méchants
et si l'on est provoqué se garder de répondre [5].

Ces idées familières aux anciens sages depuis Ptah-hotep trouvent leur expression chez Amonemope et dans les Proverbes :

Ne t'assois pas avec l'irascible,
Ne recherche pas sa conversation (Am., IX, 13-14).
Ne te lie pas avec un homme emporté,
Ne va pas avec l'homme irascible
De peur que tu n'apprennes ses manières (*Prov.*, XXII, 24).

[1] CAMINOS, *Late egyptian miscellanies*, 83.
[2] G. LEFEBVRE, *Romans et Contes*, 90.
[3] P. M., *Vie quotidienne*, 59.
[4] Exemples de cette indulgence dans l'histoire de Setna, MASPERO, *Contes populaires*, 106, et dans celle du Prince prédestiné, LEFEBVRE, *Romans et Contes*, 119-122.
[5] AD. ERMAN, *Religion égyptienne*, 193.

Ne dis pas: trouve-moi un défenseur
Si celui qui me hait m'a lésé.
Car tu ne connais pas les desseins de Dieu
et tu ne peux apercevoir le lendemain.
Repose-toi dans les mains de Dieu
Jusqu'à ce que ton silence ait triomphé de lui (Am., XXII, 3-8).
Ne dis pas: je rendrai le mal
Fie-toi à Iahvé qui te délivrera (*Prov.*, XX, 22).

Tous les moralistes égyptiens conseillent de pratiquer la tempérance et d'éviter les ivrognes. Bien que la vigne ait été cultivée dans le Delta et ses produits transportés jusqu'à Assouan, la boisson nationale était la bière et les buveurs invétérés faisaient surtout des excès de bière [1]. Amonemope ne s'est pas prononcé à leur sujet, mais les Proverbes condamnent l'intempérance (XXIII, 20) et l'ivrognerie (XXIII, 30-32).

Le mensonge est l'un des péchés proscrits dans la confession négative [2]. Dans beaucoup de stèles du Moyen Empire on relève cette phrase: «Mon abomination c'est le mensonge. [3]» Amonemope le condamne à son tour:

Ne fais à personne de confidences mensongères,
C'est l'abomination de Dieu (Am., XIII, 15-16).
Dieu hait celui qui parle faussement
Sa grande abomination c'est la duplicité (Am., XIV, 2).

Cette pensée se retrouve dans les Proverbes:

Les lèvres fausses sont en horreur à Dieu,
Mais ceux qui disent la vérité lui plaisent (*Prov.*, XII, 22).

[1] Cependant Hérodote II, 59-60 dit qu'il se buvait à Bubaste durant les fêtes plus de vin que dans toute l'Egypte pendant le reste de l'année.
[2] Version B, phrases 9 et 24.
[3] Hapi-Djefay à Assiout, *Kêmi*, IV, 53.

Trop parler nuit. Amonemope lui-même se qualifiait *grw maâ*[1], silencieux et véridique. C'était un devoir dans certains nomes de ne pas révéler ce que l'on sait des choses sacrées[2]. De là cette maxime :

Ne permets pas que les propos assiègent les gens
et ne te lie pas avec un indiscret (Am., XXII, 13-14)

Fig. 19. La pesée de l'or.

qui se retrouve dans les Proverbes :

Celui qui colporte les commérages dévoile les secrets
Avec le cancanier point de commerce (*Prov.*, XX, 19)

et cette autre :

Mieux vaut l'homme qui tient son rapport en son cœur
Que celui qui l'exprime en nuisant (Am., XXII, 15-16)

[1] Ainsi fait un personnage dont la statue a été trouvée à Tanis, *Kêmi*, XV.
[2] *Kêmi*, XI, 106.

en hébreu:

L'homme prudent cache sa science,
Mais le cœur des insensés publie leur folie (*Prov.*, XII, 23).

L'honnêteté en matière commerciale et administrative n'était qu'une application de ces principes. Les Egyptiens y étaient très attachés. Dans sa confession, le défunt déclarait deux fois qu'il n'a pas falsifié la pesée et une fois qu'il n'a pas diminué la contenance du boisseau. Amonemope qui était en son vivant préposé aux terrains et aux semences, qui évaluait l'impôt en céréales, mesurait les îles et les terres neuves que le retrait du Nil modifiait constamment entre deux inondations et établissait les bornes à la limite des champs, ne devait pas badiner sur ces matières. Voici donc ses recommandations en ce qui concerne les poids:

Le babouin se tient près de la balance
et son cœur en est le peson.
Quel Dieu est comme Thot le grand
qui a trouvé ces choses pour les appliquer?
N'emploie pas pour ton ouvrage de faux poids
(Am., XVIII, 22; XVIII, 4)

Le support de la balance est fréquemment surmonté soit du babouin, image du dieu Thot, soit de Mat, la vérité (fig. 19)[1].

Le chapitre XVIII d'Amonemope est presque tout entier consacré à la mesure des grains (fig. 20)[2].

Garde-toi d'altérer l'oudja
Et de falsifier ses fractions (Am., XVIII, 15-16).
Ne te fais pas un boisseau à deux capacités,

[1] *The Theban tombs series*, t. III, pl. IX.
[2] *Ibid.*, t. III, pl. X.

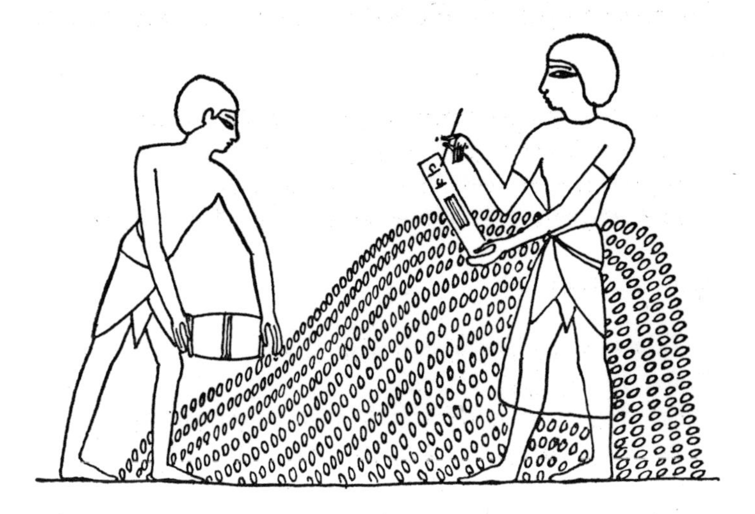

Fig. 20. Les grains mesurés au boisseau.

Ce que tu dois faire seulement pour l'eau de l'inondation.
Le boisseau c'est l'œil de Râ.
Son abomination est celui qui enlève.
Quant au mesureur qui multiplie les vols
Son œil scelle sur lui l'accusation (Am., XVIII, 19; XIX, 3).

L'*oudja*, unité de mesure pour les grains, n'était autre que l'œil d'Horus brisé en fragments par Seth et reconstitué par Thot. Ses parties avaient des valeurs de plus en plus petites [1].

Changer les bornes de place constituait certainement dans l'Ancienne Egypte un délit grave, d'autant plus que l'inondation en se retirant effaçait ou déplaçait les repères, et que les gens avaient du mal à reconnaître leur bien. D'où la nécessité

[1] GRIFFITH, dans *J.E.A.*, XII, 228; A. H. GARDINER, *Eg. Gram.*, 2e éd., p. 197.

d'un corps d'arpenteurs (fig. 21) et ces avertissements d'Amonemope :

Ne déplace pas les bornes sur les limites des champs,
Ne modifie pas la position des cordeaux,
Ne convoite pas une seule coudée de terre
Et n'entame pas les limites de la veuve (Am., VII, 12-16).

Quant au fraudeur :

Sa maison est une ennemie pour la ville
Ses greniers sont renversés.
Ses choses sont enlevées de la main de ses enfants,
Son avoir est donné à un autre (Am., VIII, 4-8).

Cette exactitude concernant le poids, les mesures de capacité et les mesures de longueur à laquelle les Egyptiens attachaient tant de prix, nous la retrouvons aussi dans les Proverbes où il sera bien difficile de contester que c'est un héritage pharaonique :

Deux sortes de poids, deux sortes de boisseau
Sont l'un et l'autre en horreur à Iahvé (*Prov.*, XX, 10).

Fig. 21. Arpenteurs au travail.

La balance et ses deux plateaux sont à Iahvé.
Tous les poids du sac lui appartiennent (*Prov.*, XVI, 11).
Iahvé a en horreur deux sortes de poids
La fausse balance n'est pas une bonne chose (*Prov.*, XX, 23).

Naturellement il n'est question dans les Proverbes ni de Thot et de son babouin, ni de Mat, ni d'Amon et de son bélier autour duquel le cordeau était embobiné, mais la borne est aussi chose à laquelle il ne faut pas toucher :

Ne déplace pas la borne ancienne
Que tes pères ont posée (*Prov.*, XXIII, 28).
Ne déplace pas la borne ancienne
Et n'entre pas dans le champ des orphelins
Car leur vengeur est puissant
Il défendra leur cause contre toi (*Prov.*, XXIII, 10-11).

La fraude était plus grave si la victime était une veuve ou un orphelin. Les deux moralistes sont d'accord là-dessus, mais il ne faut pas oublier que les vieux traités, les stèles, la confession négative défendent à l'envie de les opprimer.

Pour conclure cette revue des maximes appartenant aux deux sagesses, voici un passage où Amonemope trace au pieux Egyptien la conduite qu'il faut tenir dans le temple :

Quant au brûlant qui est dans le temple
Il est comme un arbre planté dans la forêt
Qui en un instant perd son feuillage
et trouve sa fin dans le grenier...
Le silencieux et véridique qui se tient à l'écart
il est comme un arbre planté dans un verger
qui verdit et multiplie ses fruits.
Il est en présence de son maître (Am., VI, 1-8).

S'il est vrai que le culte était en Egypte l'affaire du clergé la foule n'était nullement tenue hors du temple. On souhaite à une femme de boire à sa guise du vin et du vin cuit sur le parvis du temple de Neith [1]. Le peuple accompagnait le dieu dans ses sorties et nous savons par Hérodote [2] et par Juvénal [3] que les gens mettaient tellement d'action en mimant les aventures des dieux qu'il y avait des blessés et des morts. C'est à eux que pensait le sage en opposant au brûlant qui est devant le temple le silencieux et véridique qui se tient à l'écart.

L'auteur des Proverbes n'a pas jugé bon de recueillir ce passage, dont Jérémie semble au contraire s'être souvenu quand il compare l'homme qui se confie à l'homme et l'homme qui se confie à Dieu. Le premier :

Est comme un misérable dans le désert,
Il ne voit point arriver le bonheur.
Il habite les lieux brûlés du désert,
Une terre isolée et sans habitants.

Mais le second :

Il est comme un arbre planté près des eaux
Et qui étend ses racines vers le courant.
Il n'aperçoit point la chaleur quand elle vient
Et son feuillage reste vert.
Dans l'année de la sécheresse il n'a point de crainte
et il ne cesse de porter des fruits (*Jér.*, XVII, 6-8).

Les citations précédentes établissent, si je ne m'abuse, qu'Amonemope n'est pas apparu dans son pays comme un phénomène. Héritier d'une longue tradition de sages qui

[1] Inscription d'un vase de Bubaste, P. M., *Les reliques de l'art syrien*, 142.
[2] Hérodote, II, 63.
[3] Juvénal, le début de la satire XV.

depuis l'Ancien Empire s'évertuaient à fixer les principes, les applications et les avantages de la bonne parole, il n'enseigne aucune doctrine nouvelle et se contente d'exprimer à sa manière dans un langage recherché, souvent obscur pour nous, farci peut-être d'expressions exotiques, des conseils déjà donnés qu'il n'avait nul besoin de demander à des étrangers. Egyptien parlant à tous les Egyptiens et pas seulement à ceux des nomes où s'est écoulée sa vie, il fait de nombreuses allusions aux dieux de l'Egypte [1], ainsi qu'aux choses de la vallée du Nil, au vent du nord parfois désagréable, aux crocodiles, à des institutions comme le conseil des Trente.

Entre la Sagesse d'Amonemope et les Proverbes les ressemblances sont trop nombreuses et trop précises pour être le fait du hasard. Elles ont été d'un grand secours aux premiers interprètes d'Amonemope et même aux récents interprètes des Proverbes [2]. Puisque nous repoussons l'idée qu'Amonemope a utilisé les Proverbes ou quelque ancien ouvrage de la sagesse israélite dont l'existence n'est pas prouvée, il ne nous reste qu'à nous rallier au parti des premiers traducteurs d'Amonemope qui reconnaissent dans sa Sagesse la source directe de toute une section des Proverbes.

Nous reconnaissons bien volontiers à la suite de B. Gemser [3] que le moraliste hébreu n'a pas fait une servile imitation de la Sagesse. Il a volontairement laissé de côté l'attirail pharaonique, les dieux de la vallée du Nil, les crocodiles, le vent du nord. Il a retenu pourtant la mention des trente chapitres et les allusions aux débats qui ont lieu à la porte nous ont aussi paru avoir une origine égyptienne. Il n'a pas respecté l'ordre ou, si l'on aime mieux, le désordre de son modèle, mais tout en donnant à ses maximes un tour typiquement israélite,

[1] GRIFFITH les a relevées à la fin de son étude, *J.E.A.*, XII, 227-231.
[2] La Bible du Centenaire, Paris, 1932, p. 198.
[3] GEMSER, *Sprüche Salomos*, 69.

il n'a pas songé à dissimuler ce qu'il devait à Amonemope et au-delà de ce sage à l'ensemble des moralistes égyptiens.

La Sagesse de Petosiris

Il serait contraire à la vraisemblance que les sages et les prophètes d'Israël n'aient pas exercé à leur tour une influence sur l'élite égyptienne, surtout à partir du moment où les Juifs fuyant les envahisseurs assyriens ou babyloniens se sont répandus dans les villes du Delta oriental, à On, à Memphis et en Haute-Egypte.

Les traces de cette influence sont surtout évidentes dans les inscriptions du prêtre de Thot qui vivait à Khmounou au début de l'époque ptolémaïque. Leur éditeur G. Lefèbvre[1] a mis l'accent sur le parallélisme entre certaines maximes de Petosiris et des versets de la Bible. J'emprunte à son ouvrage les citations qui montrent le sage cherchant Dieu dans les ténèbres et trouvant le bonheur à marcher dans ses voies:

> *Mon âme te désire pendant la nuit*
> *Et mon esprit te cherche au-dedans de moi* (*Es.*, XXVI, 9).
> *Toute la nuit l'esprit de Dieu était dans mon âme*
> *et dès l'aube je faisais ce qu'il aimait* (Pet., inscr. 116).
> *Heureux tout homme qui craint Iahvé*
> *Qui marche dans ses voies* (*Ps.*, CXXVIII, 1).
> *Elle est bonne la route de celui qui est fidèle à Dieu.*
> *C'est un béni celui que son cœur dirige vers elle*
> (Pet., inscr. 116).

Le prêtre de Thot développe en outre sa conception du bonheur dans les inscriptions 60 et 61. Toutefois, comme l'a

[1] G. Lefebvre, *Le tombeau de Petosiris*, 37-40.

très bien noté G. Lefèbvre, l'Hébreu et l'Egyptien ne tirent pas de ces prémisses la même conclusion. De sa docilité, l'Hébreu n'attend que des récompenses terrestres, une longue et heureuse vieillesse au milieu des fils de ses fils. L'Egyptien voit au-delà de la mort une récompense éternelle auprès des dieux qu'il a servis durant sa vie.

CONCLUSION

Des savants se sont demandé si la descente d'Israël au pays des Pharaons, l'installation dans la terre de Gessen, la persécution et l'Exode n'étaient pas autant de fictions sans fondement historique. Ayant supposé le problème résolu, nous avons voulu prouver le mouvement en marchant. L'épisode d'Abraham s'insère le plus naturellement du monde dans la XIIe dynastie. L'histoire de Joseph et de ses frères trouve à la cour d'Avaris, sous le gouvernement des rois Hyksos, son cadre exact. Environ quatre siècles plus tard, Ramsès II fondait sur les ruines d'Avaris une résidence où lui-même et ses successeurs devaient passer la plus grande partie de l'année. Il fut ainsi amené à modifier sa politique à l'égard d'Israël, tant pour recruter de la main-d'œuvre que pour assurer la sécurité de la cour. Le peuple d'Israël se contenta de gémir tant que vécut Ramsès, mais les difficultés qui assaillirent Merenptah vers le milieu de son règne fournirent aux Hébreux l'occasion de quitter l'Egypte afin de prendre possession du pays que Iahvé leur donnait en héritage. Quelques mots du Deutéronome (XXVI, 5) résument admirablement ces grands événements :

« Mon père était un Araméen errant et il descendit en Egypte ; il y séjourna avec peu de gens, mais il devint là une nation grande, puissante, nombreuse. »

Il est très remarquable que les fils d'Israël trouvèrent à trois moments décisifs le Pharaon et sa cour installés au même endroit qui s'est appelé d'abord Avaris, ensuite Ramsès et enfin Tanis.

Lorsque le chroniqueur entreprit de leur donner une forme définitive, les souvenirs du passé n'étaient pas abolis et si quelques menus anachronismes se sont introduits dans l'histoire de Joseph, ils n'enlèvent pas grand-chose à la vraisemblance d'un récit où rien ne choque l'égyptologue habitué aux contes et aux romans qui circulaient dans la vallée du Nil et aux images que ses peintres nous ont données de la vie égyptienne.

Très désireux de ne pas imiter leurs oppresseurs et même de prendre sur des points importants le contre-pied de ce qu'ils faisaient, les fils d'Israël n'ont pu fermer les yeux sur la piété et sur les vertus du peuple égyptien. Les Commandements, c'est au fond la confession négative. La Bible le reconnaît en disant que Moïse était instruit dans la Sagesse des Egyptiens.

La création du royaume de Juda ne mit pas fin aux rapports entre les Hébreux et les Egyptiens. Pendant des siècles les Nomades avaient franchi la frontière quand ils étaient pressés par la famine ou terrorisés par des ennemis implacables. Les Hébreux continueront à regarder du côté de l'Egypte pour échapper au massacre ou à la déportation. De l'influence qu'ont exercée ces rapports tardifs nous avons maintenant un témoignage remarquable : c'est la Sagesse d'Amonemope dont les Proverbes de Salomon sont en somme une édition expurgée de tout ce qui avait un caractère trop exclusivement égyptien.

RÉSUMÉ CHRONOLOGIQUE

2000	XIIe dynastie.	
—	La cour est à Ity-taoui.	Descente d'Abraham
1800	Exploitation des mines de turquoise.	en Egypte.
	Relations avec Byblos, Ougarit, Qatna.	
1800	Décadence et morcellement de l'Egypte.	
—	Le roi Seth le tout-puissant à Avaris.	
1675	Les Hyksos occupent l'Egypte jusqu'à Cusae.	Joseph vendu en Egypte.
	Avaris est leur capitale.	Elévation de Joseph.
		Installation des fils d'Israël à Gessen.
v. 1600	Kamose, prince de Thèbes, entreprend de libérer l'Egypte.	
1580	Reprise d'Avaris.	Mort de Joseph.
	Fondation de la XVIIIe dynastie.	Les fils d'Israël demeurent dans la terre de
	Guerres et conquêtes en Syrie.	Gessen.
Entre		
1321 et	Fondation de la XIXe dynastie et de	
1314	l'ère de Menophrès.	
1301	Ramsès II:	
	Fonde une résidence royale, Pi-Ramsès.	Les fils d'Israël sont enrégimentés et contraints
	Travaux et constructions dans le Delta oriental:	de travailler à Pithom
	Pithom,	et Pi-Ramsès.
	Canal de la mer Rouge.	Naissance de Moïse.
1235	Merenptah.	Moïse et Aaron parlent devant Pharaon.
1230	Invasion libyenne.	L'Exode.
1195	Ramsès III.	
	Troubles sociaux.	Conquête de la Palestine.
Vers	Guerre civile.	
1100	Destruction de Pi-Ramsès et d'Avaris.	
	Suppression du culte de Seth.	

1085	Smendès à Tanis. Voyage d'Ounamon à Byblos.	Saül. David. Hadad son ennemi est accueilli en Egypte et retourne à Edom après la mort de David.
1054	Psousennès embellit Tanis. Epouse une princesse chaldéenne.	
	Siamen s'empare de Gezer.	Salomon épouse une fille de Pharaon qui en dot lui apporte Gezer.
	Importance croissante des chefs de Mâ.	Jéroboam est accueilli ne Egypte.
950	Chechanq Ier. Campagne de Palestine. Relations avec Byblos.	Prise de Jérusalem en l'an 5 de Roboam.
929	Osorkon Ier. Relations avec Byblos.	Asa arrête une invasion éthiopienne vers 890.
870	Osorkon II embellit Tanis.	
Entre 1080 et 680	Amenemope compose une Sagesse.	
727-722		Salmanasar V.
716	Bochoris	Avènement d'Ezéchias.
705		Mort de Sargon.
689	Taharqa.	Sennacherib bat Taharqa.
671		Assarhadon s'empare de Memphis.
667	Sac de Thèbes.	
663	Psamétik Ier fonde la XXVIe dynastie.	
640		Josias.
609	Nechao: restaure le canal de la mer Rouge. Victorieux à Mageddo. Battu à Karkemich.	Josias tué à Mageddo, remplacé par Joakhim.
588	Apriès.	Chute de Jérusalem. Jérémie est entraîné en Egypte.
581		Fin du Royaume de Juda.

BIBLIOGRAPHIE SOMMAIRE

Sigles

Ann. Serv. = *Annales du Service des antiquités de l'Egypte.*

B.I.F.A.O. = *Bulletin de l'Institut français d'archéologie orientale du Caire.*

D. G. = (H. Gauthier), *Dictionnaire des noms géographiques contenus dans les textes géographiques*, Le Caire, 1925-1931.

J.E.A. = *Journal of egyptian archaeology.*

L.d.R. = (H. Gauthier) *Le Livre des Rois d'Egypte*, Le Caire, 1907-1917.

M. M. = Mission Montet.

P. M. = Pierre Montet.

Urk. = *Urkunden des aegyptischen Altertums*, Leipzig 1905.

W.A.S. = Erman und Grapow, *Wörterbuch der aegyptischen Sprache*, Leipzig 1925 sqq.

Z. A. S. = *Zeitschrift für aegyptische Sprache.*

Principaux ouvrages et articles

DHORME (*Ed.*), *La Bible*, I, *L'Ancien Testament*, Bibliothèque NRF de la Pléiade, Paris 1956.

DRIOTON (*Et.*) et VANDIER (*J.*), *L'Egypte*, coll. Clio, 3e éd., Paris.

DUESBERG (*Dom H.*) et AUVRAY (*P.*), *Le Livre des Proverbes*, Paris 1951.

ERMAN (*Ad.*), *Aegypten und aegyptisches Leben in Altertum*, neubearbeitet v. RANKE, Tübingen 1923. — *La religion des Egyptiens*, trad. WILD, Paris 1937.

GARDINER (*A. H.*), *The Delta residence of the Ramessides*, *J.E.A.*, V, 127, 179, 249.

— *The ancient military road between Egypt and Palestine*, *J.E.A.*, VI, 90.

— *The geography of the Exodus*, *J.E.A.*, X, 93.

— *The egyptian origin of some english personal names*, *Journ. of amer. orient. soc.*, LVI, no 2.

GEMSER (*B.*), *Sprüche Salomos*, dans EISSFELDT (*O.*), *Handbuch zum Alten Testament*, 16, Tübingen 1937.

GRIFFITH, (*F. Ll.*), *The teaching of Amenophis the son of Kanakht*, *J.E.A.*, XII, 191.

LANGE (*H. A.*), *Das Weisheitsbuch des Amonemope*, Copenhague 1925.

LEFEBVRE (*G.*), *Romans et Contes égyptiens de l'époque pharaonique*, Paris 1949.

LODS (*A.*), *Israël*, des origines au milieu du VIIIe siècle, Paris 1930.

— *Les prophètes d'Israël et les débuts du judaïsme*, Paris 1935.

MALLON (*Le R.P. Al.*), *Les Hébreux en Egypte*, *Orientalia*, no 3, Rome 1921.

MASPERO (*G.*), *Les Contes populaires de l'Egypte ancienne*, 3e éd., Paris 1912.

Mission MONTET, *La Nécropole royale de Tanis*, I. *Osorkon II*, Paris 1947; II. *Psousennès*, Paris 1951.

MONTET (*P.*), *Les nouvelles fouilles de Tanis*, Paris et Strasbourg 1932.

— *Le Drame d'Avaris*, essai sur la pénétration des Sémites en Egypte, Paris 1941.

— *Tanis*, douze années de fouilles dans une capitale oubliée, Paris 1942.

— *La géographie de l'Egypte ancienne*, I. *To-mehou*, la Basse-Egypte, Paris 1956.

— *Les Scènes de la vie privée dans les tombeaux égyptiens de l'Ancien Empire*, Paris et Strasbourg 1925.

— *La vie quotidienne en Egypte à l'époque des Ramsès*, Paris 1946.

POSENER (*G.*), *Les Asiatiques en Egypte sous les XII*e *et XIII*e *dynasties*, *Syria*, XXXIV, 1937, 145-153.

— *Textes égyptiens*, dans BOTTERO, *Les problèmes des Habiru*, *cahiers de la Société asiatique*, 12.

RANKE (*H.*), *Die aegyptische Personennamen*, Bd. I (1935), Bd. II (1952)), Gluckstadt.

SPIEGELBERG (*W.*), *Die aegyptische Randglossen zum Alten Testament*, Strasburg 1906.

— *Der Aufenthalt Israels in Aegypten im Lichte der aegyptischen Monumente*, Strasburg 1904.

VINCENT (*Al.*), *La religion des Judéo-Araméens d'Eléphantine*, Paris 1937.

VAN DE WALLE (*B.*), articles *Hyksos* et *Inscriptions égyptiennes*, dans le *Dictionnaire de la Bible*, supplément,

YOYOTTE (*J.*), article *Nechao*, *Dictionnaire de la Bible*, supplément VI, 1958.

— *Egypte ancienne*, dans l'*Histoire universelle*, Encyclopédie de la Pléiade, I, 105.

Imprimé en Suisse — Printed in Switzerland

TABLE DES ILLUSTRATIONS

A. Planches

B. Figures

TABLE DES MATIÈRES

Seconde partie : FAITS DE CIVILISATION

Achevé d'imprimer
le 5 octobre 1959
sur les presses de l'imprimerie
Delachaux & Niestlé S. A.
Neuchâtel (Suisse)